UNIVERS DES LETTRES

COLLECTION THÉMATIQUE
dirigée par Georges DÉCOTE

LE MAL
de Blaise Pascal à Boris Vian

par

Pol Gaillard
Maître-assistant à l'Université de Paris-X

BORDAS
Paris - Montréal

DU MÊME AUTEUR

THÉÂTRE

FS40.3
212m
93593
Juc1925

Denis Asclépiade (prix Chevalier de la Barre), créé par Michel Vitold et Marc Cassot, éd. M. Ph. Delatte, 133, rue de la Pompe, Paris-XVIe ;
Les Taupins, créé par Marie Dubois ;
Vénus ou *L'amour forcé*, créé par Robert Porte ;
Docteur Gundel, créé par Guy Tréjan ;
Le recteur de Séville, créé par Jean Négroni et Catherine Sellers ;
Le drame de Vauban créé par Jean Gaven et André Falcon.

DISQUES DE THÉÂTRE (réalisés par Pol Gaillard et Alain Barroux ; Sélections Sonores Bordas).

Le Cid, avec Pierre Vaneck et Catherine Sellers ;
Horace, avec Alain Cuny, Jean Négroni et J.-L. Trintignant ;
Polyeucte, avec Pierre Vaneck et Nita Klein.

Andromaque, avec Laurent Terzieff, Catherine Sellers, Georges Descrières et Nita Klein ;
Britannicus, avec Michel Bouquet et Maria Casarès ;
Iphigénie, avec Jean Topart et Nelly Borgeaud ;
Phèdre, avec Maria Casarès et Jean Négroni.

Les précieuses ridicules, avec François Périer ;
Tartuffe, avec Fernand Ledoux et Renée Faure ;
Le misanthrope, avec Renaud Mary, Michel Bouquet et Geneviève Page ;
L'avare, avec Michel Bouquet et Dominique Paturel ;
Les femmes savantes, avec Henri Rollan, François Maistre, Maria Mériko et Bérengère Dautun.

Lorenzaccio, avec Pierre Vaneck et Henri Rollan ;
Les caprices de Marianne, avec Claude Rich, J.-L. Trintignant et Geneviève Page.

Ruy Blas, avec J.-L. Trintignant, Jean Piat et Nelly Borgeaud.

L'Odyssée, avec François Périer, Jean Topart et Catherine Sellers.

ÉTUDES LITTÉRAIRES

Horace de Corneille (Univers des Lettres Bordas) ;
Le mariage de Figaro de Beaumarchais (Univers des Lettres Bordas) ;
Les misérables de Victor Hugo (Univers des Lettres Bordas) ;
Les châtiments et *L'année terrible* de Victor Hugo (Univers des Lettres Bordas) ;
Malraux (Bordas, Présence Littéraire) ;
Les critiques de notre temps et Malraux (Garnier) ;
L'espoir de Malraux (Hatier) ;
La peste de Camus (Hatier) ;
Candide de Voltaire (Hatier).

SOMMAIRE

PRÉFACE

A la différence de la plupart des ouvrages de littérature à vocation scolaire ou universitaire, axés pour l'essentiel sur l'étude d'un siècle, d'un auteur ou d'une École, la présente collection se propose de partir d'un thème aux résonances actuelles et d'analyser la manière dont il fut perçu tout au long de l'histoire littéraire. Chaque volume se présente d'abord comme un recueil des textes les plus représentatifs du sujet traité — qu'il s'agisse d'étudier par exemple le thème du héros, celui de l'enfance ou celui du suicide, pour ne mentionner que ceux-là. Ces extraits sont pour la plupart choisis dans la littérature française, mais certains des passages les plus significatifs de telle ou telle œuvre étrangère peuvent également figurer en traduction.

La présentation thématique nous paraît offrir une approche méthodologique nouvelle de la littérature : plus variée, plus suggestive, plus propre à éveiller l'intérêt du lecteur. Il ne s'agit plus en effet d'une prospection nettement délimitée dans le temps, mais d'une coupe horizontale courant le plus souvent du Moyen Age à nos jours et permettant de mieux saisir la physionomie d'une époque à travers le point de vue qu'elle peut avoir sur tel problème déterminé. Il ne s'agit plus de revenir sans cesse à quelques grands textes étudiés uniquement pour eux-mêmes, mais d'examiner par exemple quelle conception l'on se fit du bonheur ou du progrès au cours des siècles. Il ne s'agit plus exclusivement de littérature française, mais de littérature comparée et d'histoire des idées, parfois même de sociologie ou d'économie, lorsque s'y prête le thème choisi.

Un tel élargissement de perspective est particulièrement fructueux — ne serait-ce qu'à titre de complément des programmes traditionnels — au niveau des Premières et des Terminales des lycées, des classes préparatoires aux Grandes Écoles et du premier cycle des U.E.R. de Lettres ou de certains Instituts. Et cela d'autant plus que le point de vue adopté est toujours délibérément moderne. On a trop souvent reproché aux classes de Lettres d'être coupées de la vie et des problèmes contemporains pour que l'on ne saisisse point ici l'occasion d'exercer la réflexion des étudiants sur des notions aussi actuelles que celles de l'argent, du rêve ou de la révolte, pour n'en citer que quelques-unes. N'est-ce point là une manière d'aborder l'histoire littéraire sous un jour nouveau, de redécouvrir littéralement certains ouvrages ou certains auteurs dont une fréquentation routinière masque parfois l'actualité ?

L'analyse thématique, outre qu'elle entraîne souvent un intérêt spontané, se prête bien à l'individualisation du travail par la variété des exercices qu'elle suscite :

— recherche de textes complémentaires portant sur le thème étudié ;
— comparaison entre des extraits d'époques et d'auteurs différents ;
— lecture de telle ou telle œuvre d'où sont tirés les passages cités, suivie d'un compte rendu et d'un débat ;
— commentaires de textes ;
— exposés et discussions portant sur un ouvrage critique consacré au thème choisi ;
— essais libres dans le cadre du sujet traité.

On en arrive ainsi à une étude « sur mesure », variable selon le niveau du groupe ou des éléments qui le composent, et permettant d'exercer l'esprit critique de chacun. C'est donc au professeur que revient la responsabilité fondamentale : celle d'élaborer pour chaque type de classe, à partir de ces documents de travail que constituent les textes proposés, un programme de réflexion et d'exercices adapté à un public dont il connaît mieux que personne les forces et les faiblesses.

La rénovation des méthodes pédagogiques est aujourd'hui plus que jamais à l'ordre du jour dans tous les domaines d'enseignement. Elle nous paraît tout particulièrement nécessaire en ce qui concerne la littérature si l'on ne veut point que ce terme devienne pour certains synonyme de bavardage ou d'ennui. Cette collection ne se propose pas d'autre but que d'apporter une modeste contribution à cette tâche.

Le Directeur de la Collection.

● CHAPITRE I

LES HOMMES DEVANT LE MAL

● LE PROBLÈME ET L'ÉVOLUTION DU PRO-BLÈME

« Tous les hommes recherchent d'être heureux. Cela est sans exception », dit Pascal. Ceux-là mêmes qui se flagellent, s'humilient, s'abrutissent de travail ou d'alcool, ceux qui vont se pendre, ceux qui subissent la torture sans broncher et acceptent de mourir pour leur foi, leur patrie, leur classe, leurs enfants, ceux qui refusent, comme indignes d'eux, certains bonheurs recherchés par d'autres au prix des plus grands sacrifices, tous, tous ont tendu au moins à un moment de leur vie vers la réalisation la plus complète et la plus harmonieuse possible de leur être ; ils ont voulu aimer, agir, ressentir, aimer et agir encore, jouir d'eux-mêmes et du monde, connaître, participer, s'épanouir, — vivre enfin, et avoir conscience de vivre ; même sans espoir ils y tendent encore, et continuent à chercher « leur bien », « leur mieux »...

La loi est générale en effet. Ce bonheur indéfinissable, chacun de nous le cherche de toutes ses forces, - et non pas immobile, obtenu une fois pour toutes, mais toujours neuf, toujours à reconquérir de nouveau avec délices dans la joie de ce qui naît, toujours recommencé, comme la mer et comme l'amour. Notre idéal à tous, notre bien, *le bien*, c'est que vie et bonheur de vivre soient synonymes.

Or le mal, partout, est présent. « Le mal est ce qui n'est pas », dit l'un des porte-parole de Claudel[1]. Jeu de mots sinistre. Autant dire que la mort n'*est* pas, puisqu'elle est seulement cessation d'*une* vie, puisque la femme ou l'enfant dont nous déplorons la perte appartiennent toujours, dans leur chair qui pourrit, aux lentes germinations de l'existence universelle !... Les hommes meurent, les amants sont séparés, la femme devient veuve et l'enfant orphelin ; la souffrance *existe*, la maladie, la vieillesse, la cruauté, la guerre, la bêtise, l'impuissance, l'ennui, l'impossibilité même de connaître totalement l'être qu'on aime le plus. Comment nier de pareilles évidences ? Et comment celui qui souffre ou qui voit souffrir pourrait-il ne pas crier aussitôt, presque instinctivement : « Pourquoi ? Pour quoi ? A cause de quoi ? A cause de qui ?... » L'interrogation sur le mal accompagne nécessairement le mal, et rend souvent la peine plus vive encore, comme plus vaine, plus cruellement dérisoire. Il faut essayer de répondre.

Chaque époque l'a fait, chaque littérature et particulièrement la nôtre, chaque écrivain. Ce livre n'a pas d'autre

---

1. Claudel reprend ici le « raisonnement » de nombreux métaphysiciens. L'être est, le non-être n'est pas ; Dieu seul possède la perfection de l'être ; les créatures, par le fait même qu'elles sont créatures, c'est-à-dire imparfaites, « révèlent une structure qu'on pourrait appeler spongieuse : comme l'éponge est faite de tissus et de trous, de vides, ainsi les êtres sont faits d'être et d'une absence, d'un manque d'être, et ils peuvent se définir comme plus ou moins spongieux » (Henri Marrou, *Saint Augustin et l'augustinisme*, p. 76). Le mal n'est donc en fait que négativité, privation, possibilité irréalisée, il n'a pas de substance ni de structure propre ; *il y a* du mal, mais le mal n'*est* pas... Avec de telles abstractions, on peut tout soutenir assurément, et même que les proliférations désastreuses du cancer ne sont que les *trous* du bien ! Mais qui oserait le dire sans honte à une mère qui pleure son enfant ? Claudel lui-même nous paraît sans cesse en contradiction avec la formule ; il est trop réaliste pour nous présenter les souffrances de l'amour par exemple, ou celles de l'enfer seulement comme des « manques »... Et le mal du péché, pour lui, c'est avant tout de se dérober à Dieu et de se faire sa propre fin à soi-même en usurpant l'*être*, dans une jouissance incomplète sans doute, mais réelle et substantielle.

but que de fournir aux élèves et aux étudiants quelques-uns des textes parmi les plus nets, les plus proches de nous, les plus beaux, — de leur indiquer les grandes voies de recherche. A eux, ensuite, de vivre pleinement la solution qu'ils auront choisie, de dominer et de créer, dans la plus grande mesure humaine possible, leur destin.

* * *

Pourquoi ? Pour quoi ? A cause de quoi ? A cause de qui ? La forme des questions suggère déjà les grands types de réponses. Chaque fois que *la cause* d'un mal est relativement facile à isoler — un homme, un animal, le feu, le froid, l'effet de telle plante, l'abus de telle pratique, l'absence de telle précaution —, la solution, elle aussi, apparaît facile : il faut s'y prendre de telle façon pour que le grain ne gèle pas, il faut édifier une digue à tel endroit pour se protéger contre le débordement du fleuve, il faut chercher et punir les criminels pour que personne n'ait intérêt à tuer, etc. Des règles pratiques se créent peu à peu, et la plus simple de toutes les morales : ne pas faire à autrui ce que l'on ne voudrait pas qu'il vous fasse, faute de quoi chacun, et tout le groupe, sont menacés. Un bien et un mal moral sont définis, que les plus puissants parviennent d'ordinaire à préciser et codifier à leur profit, mais dont ils doivent eux-mêmes tenir compte, tellement la vie commune les impose. Des hommes réunis se forgent toujours des lois, de même qu'ils essaient de définir celles des choses... C'est la première réponse pratique à notre problème, la plus simple.

● VOLONTÉS ET COLÈRES DES DIEUX

Mais combien de maux sont apparus pendant des siècles, combien nous apparaissent encore comme ne relevant

d'aucune science, d'aucune morale ?... Il est possible de
sourire, aujourd'hui, devant la plupart des croyances
primitives, l'animisme, les dieux nationaux impitoyables
aux ennemis, le polythéisme grec. Bien des superstitions
modernes en sont pourtant toutes proches. Le mal rend
crédule l'ignorance. Essayons de nous imaginer les réactions
de gens n'ayant et ne pouvant avoir aucune connaissance
des microbes et encore moins des virus, lorsque fondait
sur eux, imprévisible, l'une de ces épidémies qui pouvaient
faire disparaître, en quelques mois, le tiers de la popula-
tion d'une cité. Était-ce folie de les attribuer à la colère,
justifiée peut-être, d'un Maître de la santé et des maladies,
Phoïbos Apollon ? Comment expliquer la foudre, des-
tructice des récoltes, lorsqu'on ignore tout de l'électricité ?
Il est si simple d'attribuer la décision, dans tous les domaines que nous ne connaissons pas, à des êtres beaucoup
plus puissants que nous, immortels sans doute puisque
le ciel, la mer, les vents, le feu souterrain survivent inchan-
gés aux générations humaines, mais presque semblables
à nous cependant dans leurs sentiments et leurs raisons
d'agir, — dont il importe par conséquent de surprendre
les exigences secrètes par tous les moyens pour détourner
leur courroux ou obtenir ce que nous souhaitons.

Pendant des siècles, aucun problème particulier du mal
ne se posera à leur sujet : les dieux ont souvent, comme
les hommes, la volonté que leurs inférieurs en particulier
respectent une certaine justice, et ils peuvent les punir
gravement en cas de faute individuelle ou collective,
mais comme nous aussi, ils ont leur tempérament particulier, des qualités certes, mais aussi des défauts à leur
mesure, capables donc de provoquer chez les humains
des maux épouvantables. Ils peuvent se haïr entre eux,
se faire la guerre et la faire faire aux autres, se plaire à la
vengeance et à la cruauté, obéir à leurs caprices. Cela ne
choque guère. Seuls quelques poètes, ou quelques-unes
de ces âmes douces qui associent volontiers les idées de
paix et d'équité à celle de grandeur, s'étonnent tristement,
mais sans nier. « *Tantaene animis caelestibus irae ?* »
murmure Virgile évoquant les malheurs causés par Junon,
de telles vengeances, en des âmes divines ?... Corneille fait

dire à la sœur de Curiace, fille des pacifiques Albains, lorsqu'on lui annonce la décision cruelle des dieux qui envoie ses frères et ses beaux-frères s'entretuer :

« Je veux bien l'avouer, ces nouvelles m'étonnent
Et je m'imaginais dans la divinité
Beaucoup moins d'injustice et bien plus de bonté. »

Mais Camille lui répond sans illusion :

« Ils ne se règlent pas dessus nos sentiments ! »

Le mal, chez les habitants du ciel, ne scandalise pas les Romains.

● LES MONOTHÉISMES

Mais, de même qu'un petit nombre de grands dieux, maîtres chacun d'un grand domaine naturel ou liés à un seul peuple, avaient peu à peu remplacé la foule innombrable des esprits qu'avaient d'abord imaginés les hommes derrière les forces dont ils n'étaient pas les maîtres, de même l'idée d'un Dieu unique réunit et chassa peu à peu, lentement, les divinités particulières, parfois d'ailleurs sous le nom conservé de l'une d'elles : « Je suis la Nature même de toutes choses, *proclame la nouvelle Isis*, la Maîtresse des éléments, le Principe des siècles, la Souveraine des divinités, la Reine des mânes, la Première des habitants des cieux... Je gouverne à mon gré les éclatantes voûtes du ciel, les vents salutaires de la mer et le triste silence des enfers. Je suis la seule divinité qui soit dans l'univers et que toute la terre révère sous plusieurs formes avec des cérémonies diverses et sous des noms différents. » Jéhovah, de même, demeure le dieu qui a fait alliance particulière avec les Juifs, mais il se définit en même temps, dès le premier commandement du *Décalogue*, comme la seule divinité sans commencement ni fin, celui qui dicte le bien et le mal : « Je suis l'Éternel, ton Dieu... Tu n'auras pas d'autres dieux devant ma face »...

De plus en plus chez tous les peuples où les préoccupations intellectuelles sont en honneur, les philosophes précis et les poètes inspirés affirment l'existence d'un Être unique, éternel, infini, origine suprême et seule source du Vrai, du Beau et du Bien : « Toutes les lois humaines sont nourries par la seule loi divine, écrit Héraclite, celle-ci prévaut autant qu'elle le veut et suffit à toutes choses sans s'y épuiser » ; et Confucius : « Le perfectionnement est la loi des hommes, le parfait est la loi de Dieu. »

Mais dès lors surgit aussitôt, obsédante, la contradiction religieuse à laquelle on réservera désormais l'expression particulière de *problème du mal*. Elle est liée au monothéisme. S'il n'y a qu'un seul Dieu à la fois tout-puissant et parfaitement bon, comment a-t-il pu créer ou permettre, même provisoirement, le mal et la souffrance injuste ? Frappé par tous les malheurs possibles, Job, dans la Bible, se soumet à la sagesse suprême, humblement ; il accepte de ne pas comprendre :

« Je reconnais que tu peux tout,
Et que rien ne s'oppose à tes pensées...
Oui, j'ai parlé, sans les comprendre,
De mystères qui me dépassent et que je ne conçois pas...
C'est pourquoi je me condamne et me repens
Sur la poussière et sur la cendre. »

Mais la question demeure posée à la conscience des hommes : comment attribuer à Dieu les innombrables misères de notre monde ?

En rendre seul responsable un Principe des Ténèbres, un Esprit qui dit toujours non, un Génie ou un Ange jaloux et pervers, une Force impure opposée à Dieu, comme ont fait la plupart des religions à un moment ou à un autre de leur histoire, c'est évidemment en revenir, sous une forme voilée, à la croyance des anciens Perses et de Zoroastre, posant Ahriman et ses démons du mal en face de Ormuzd et de ses archanges du bien, c'est régresser vers le polythéisme. Toutes les tentatives qui seront faites dans ce sens seront sans lendemain.

La cause du mal, selon Platon, ce n'est pas Dieu ou un dieu, c'est la matière elle-même, incréée, anarchique, sans forme, sans ordre, sans raison, sans ferment, qu'il appartient à l'Esprit, et à tous les esprits, de régler et de tourner au bien... De religieux, le dualisme est devenu philosophique, et il restera pendant longtemps la doctrine la plus généralement adoptée par les théoriciens.

Du moins Platon imagine-t-il, comme l'Inde, la trans-migration des âmes pour sauvegarder la justice divine à l'égard de tous : « Le divin ordonnateur du jeu ne peut trouver combinaison plus satisfaisante que d'élever à une condition meilleure celui qui est devenu meilleur et d'abaisser à une condition pire celui qui est devenu pire, en accord avec ce qui leur revient à chacun, afin que tous obtiennent en partage une destinée juste[1]. »

● ÉPICURE ET LUCRÈCE

C'est incontestablement Épicure, dans l'Antiquité occidentale, qui a posé le problème du mal sous sa forme la plus rigoureuse. Lactance nous a transmis son raisonnement :

« Ou bien Dieu veut supprimer les maux, mais il ne le peut pas. Ou bien il le peut mais il ne le veut pas. Ou bien il ne le peut ni ne le veut... S'il le veut et ne le peut pas, il est impuissant, ce qui est contraire à sa nature. S'il le peut et ne le veut pas, il est mauvais, ce qui est également contraire à sa nature. S'il ne le veut ni ne le peut, il est à la fois mauvais et faible, c'est-à-dire qu'il n'est pas Dieu... Mais s'il le veut et le peut, ce qui seul convient à ce qu'il est, d'où vient donc le mal, et pourquoi ne le supprime-t-il pas ? »[2]

Il existe des dieux peut-être, qu'en savons-nous ? des êtres qui ne connaissent pas la mort. Il existe peut-être même une Divinité unique, Épicure ne la nie point malgré les phrases que nous venons de lire. Mais la marche du monde nous indique suffisamment que, si cette divinité existe, « elle se suffit à soi, n'a d'affaire avec personne et n'en crée à personne. » Ne nous occupons pas plus d'elle qu'elle ne s'occupe de nous ; les croyances religieuses

---

1. Platon, *Les lois*, X, 903 d.
2. Lactance, *De la colère de Dieu*, XIII.

incertaines ne peuvent que provoquer en nous l'angoisse.
A nous de prendre en main notre destinée et d'apprendre
à tout regarder d'un regard que rien ne trouble, même
la mort. « Regarde, dira Lucrèce, combien nous est indifférent le temps infini qui a précédé notre naissance ;
n'est-ce pas là un miroir pour nous révéler ce que sera
pour nous le temps futur, une fois morts ? Y a-t-il là rien
de terrible ? Imaginerait-on un plus sûr sommeil ? »
Ce qui est dissous est incapable de sentir !... Épicure a
délivré de toutes les craintes superstitieuses les hommes qui
écoutent son enseignement, chante son disciple passionné :
« Alors qu'aux yeux de tous l'humanité traînait sur terre
une vie abjecte, écrasée sous le poids d'une religion dont
le visage se montrait du haut des régions célestes, menaçant
les mortels de son aspect horrible, le premier, un Grec,
un homme, osa lever ses yeux mortels contre elle et contre
elle se dresser. »[1] La seule façon de vaincre partiellement le
mal, c'est d'étudier *naturam rerum*[2], la nature des choses,
les lois de la nature des choses, de manière à pouvoir
agir sur celles qui sont à notre portée. Il n'est dans ce
domaine qu'une question utile à poser, la première que
nous avons rencontrée : à cause de quoi ?

● LE FILS DE L'HOMME

La prédication chrétienne, un demi-siècle après Lucrèce,
apporta au problème des éléments entièrement nouveaux.
Les difficultés logiques énoncées par Épicure restaient
évidemment les mêmes, mais, tandis que le penseur de
Samos, abandonnant dédaigneusement la divinité (ou les
dieux) à la jouissance de leur être, enseignait pour la première fois à l'homme son indépendance, saint Paul et
les disciples du Christ, eux, prêchaient un Dieu plus proche

---

1. Lucrèce III, v. 972-978 ; I, v. 63-68.
2. C'est le titre même de l'ouvrage de Lucrèce : *De natura rerum*,
qu'il faut traduire exactement par *De la nature des choses,* et non
par « De la nature » comme on fait assez souvent. Lucrèce ne
personnifie nullement la nature, il invite à l'étudier. Voir, sur ce
titre, la démonstration de Georges Cogniot dans son édition de
Lucrèce (Paris, 1954), p. 93.

de nous qu'il ne l'avait jamais été, enseignaient une *Bonne-nouvelle*[1] extraordinaire : Dieu avait envoyé son Fils unique assumer sur la terre les souffrances des humains, et racheter leurs péchés. Jésus participait à tous nos maux ; il avait souffert volontairement les pires tortures, les crachats, l'abandon de ceux qu'il aimait, le désespoir[2], l'ignominie du supplice le plus infamant. Comment accuser du mal celui qui s'était fait le frère du plus humble d'entre nous et qui pouvait nous dire dans le secret du cœur : « J'ai versé telle goutte de sang pour toi » ? Le seul devoir désormais, c'était de suivre la voie qu'il avait lui-même tracée : accepter dans la résignation et même dans le doute toutes nos croix, rendre le bien pour le mal et la justice pour l'injustice, aimer notre prochain comme nous-même, obéir à Dieu seul quoi qu'il commande. Le jour venu, toutes les créatures rachetées ressusciteraient comme le Christ, dans leur corps même, et connaîtraient la béatitude sans fin du Royaume. Le mal serait définitivement vaincu.

Les pires misères de cette terre, dès lors, pouvaient être transfigurées. Jésus s'était adressé à tous, aux pauvres comme aux puissants, aux maîtres comme aux esclaves, aux heureux et aux humiliés ; mais il s'était penché tout particulièrement sur ceux qui souffrent. De l'injustice et de la mort même il avait fait sourdre l'espérance. « La première prédication chrétienne à Rome fut invincible parce qu'elle disait à une esclave, fille d'esclaves, qui voyait mourir en vain son enfant esclave né en vain : " Jésus, fils de Dieu, est mort torturé sur le Golgotha pour que tu ne sois pas seule devant cette agonie. "»[3]

... Mais il fallait *croire*, reconnaître la divinité du Christ, — être à même de le faire ! En même temps que la nouvelle religion, l'Église aussi se constituait, qui ne pouvait pas tolérer les conceptions différentes de la sienne puisqu'elle s'affirmait la Vérité. Le sang du Christ pouvait-il avoir libéré aussi les Juifs qui reniaient le Christ, les pécheurs,

---

1. C'est la traduction littérale du mot *Évangile*.
2. « Mon Dieu, mon Dieu, pourquoi m'avez-vous abandonné ? ». Saint Marc, 15. Voir pages 40, 126 et 131.
3. André Malraux, *Les voix du silence*, p. 279.

qui continuaient leurs crimes, les incrédules, qui refusaient la rédemption ? Quel devait être le destin après la mort des innombrables peuples auxquels l'Évangile n'avait pas encore été porté ou qui se fermaient devant ses propagateurs ? *Qui* était sauvé en fait ? Qui pouvait connaître la béatitude ? Comment interpréter la phrase apparemment si nette et en réalité si étrange : « Il y a beaucoup d'appelés mais peu d'élus » ? La nouvelle foi supprimait-elle vraiment l'effrayante inégalité humaine ?

● QUI EST SAUVÉ ?

Le problème du mal réapparaissait plus poignant encore qu'autrefois, plus incompréhensible, plus scandaleux, faisant jaillir de partout les hérésies dans la nouvelle Église, celle de Pélage[1], celle de Mani[2]... Les docteurs les plus fervents, comme saint Augustin, sont déchirés. A quoi bon l'Église si l'on est sauvé en dehors d'elle et de la foi ? « Le Christ serait mort en vain si les hommes sans la foi chrétienne, par quelque autre moyen ou mode que ce soit, parvenaient à la véritable vertu, à la véritable justice, à la véritable sagesse. »[3] Mais, d'autre part, quelle dérision de cette justice si des enfants de quatre ans peuvent être damnés parce qu'ils meurent sans baptême, corrompus sans qu'ils y soient pour rien par un péché originel commis des milliers d'années auparavant : « Oh croyez-moi, mes frères, quand je songe aux tourments non seulement éternels mais même temporaires des enfants, je me trouble et je ne sais que dire. »[4]

L'assemblée de Carthage, pourtant, en 418, confirme le dogme du châtiment éternel même pour les enfants. La

---

1. Pélage, moine en Grande-Bretagne, vers 350 ; il n'admettait pas la corruption originelle fondamentale de l'homme et affirmait la possibilité, pour tous, de faire leur salut. Sa doctrine fut condamnée en 418.

2. Manès, ou Mani, ou Manichée, (IIIe siècle après Jésus-Christ), prophète d'un nouvel Évangile qui affirmait l'éternelle coexistence de deux principes adverses, celui du Bien et celui du Mal. Les manichéens subirent de longues et dures persécutions Le catharisme a hérité de nombreux traits du manichéisme.

3. Saint Augustin, *Contre Julien*, IV, 3, 17.

4. *Épîtres* de saint Augustin, VII.

terrible formule « hors de l'Église pas de salut » devient
la loi commune, et le même homme que nous venons de
voir se troubler et hésiter résume la théologie antipéla-
gienne en propositions impitoyables.

« [...] IV. Nous savons que la grâce de Dieu n'est pas
donnée à tous les hommes, et que ceux à qui elle est donnée
ne l'obtiennent pas d'après le mérite de leurs œuvres,
ni d'après celui de leur volonté, ce qui se voit particulièrement dans les enfants.

V. Nous savons que c'est par la miséricorde gratuite
de Dieu que la grâce est donnée à ceux à qui le Seigneur
la donne.

VI. Nous savons que c'est par un juste jugement de
Dieu qu'elle n'est pas donnée à ceux à qui Dieu la refuse.

VIII. [...] Nous savons que les enfants mêmes seront
punis ou récompensés selon le bien ou le mal qu'ils auront
fait " par leur corps ", non en agissant par eux-mêmes,
mais par ceux qui ont répondu pour eux. Ayant par cet
intermédiaire renoncé au démon, ils sont censés croire en
Dieu, et sont dès lors comptés parmi ceux dont le Seigneur a dit : "Celui qui croira et sera baptisé sera sauvé"
(*Marc*, XVI, 16). Au contraire les enfants qui n'ont pas
reçu le baptême subiront les effets de la sentence prononcée
"contre ceux qui n'auront pas cru et qui seront condamnés"[1] ».

... Mais les conciles et les synodes ont beau trancher,
excommunier, la question n'est pas éteinte. Longtemps,
dans l'Occident muet du pré-Moyen Age, elle couve sous
la cendre dans les écrits des Pères de l'Église ; elle se ranime
après saint Thomas d'Aquin dans les traités scholas-
tiques ; elle bouleverse la chrétienté avec la Réforme ;
elle éclate enfin au grand jour de nos lettres avec le génie
de Pascal...[2] Elle ne cessera pratiquement plus d'y être
débattue sans concession par les écrivains les plus divers.

---

1. Lettre 217, 5. Les douze propositions sont citées intégralement
dans *Saint Augustin et l'augustinisme* d'Henri Marrou (Seuil, 1955).

2. C'est pourquoi nous avons préféré commencer le choix de nos
textes à Pascal, — ce qui nous permettait aussi de donner la parole
à un plus grand nombre d'écrivains contemporains. Avant Pascal,
le problème du mal est déjà présent, certes, dans bien des textes
français, mais il n'est pas abordé de front.

● PASCAL ET L'APPEL A L'EXPÉRIENCE INTIME DE CHACUN

Chacun, dans les *Provinciales* et dans les *Pensées*, est fait juge, chacun peut et doit prendre parti. Pascal ne cesse pas de s'appuyer sur l'Écriture et sur les Pères (ce n'est pas pour rien que l'ouvrage de Jansénius s'appelle l'*Augustinus*, reprenant souvent en propres termes les enseignements de l'évêque d'Hippone), mais il fait appel, d'abord, à notre expérience personnelle. Il entend ne rien dire qui n'ait son point de départ, sa base, dans des constatations dont nous ne puissions aussitôt vérifier en nous et autour de nous le bien-fondé. Il nous oblige à penser avec lui.

On connaît l'essentiel de son analyse. Il ne cache pas nos misères, il les dénude, il bâtit sur elles. Nul sans doute n'a souligné avec autant de force quelques-unes des données fondamentales de la condition humaine : « Le dernier acte est sanglant, quelque belle que soit la comédie en tout le reste : on jette enfin de la terre sur la tête, et en voilà pour jamais »[1]. La mort est là, révoltante, inacceptable, et, dans cette vie même, nous n'atteignons jamais l'absolu, le bonheur, la justice, la vérité totale. Ce sont là des faits, il n'y a rien à dire. Qui oserait prétendre que les hommes ne sont pas mortels, que la perfection est à leur portée ?

Pascal reconnaît sans aucune gêne que la religion chrétienne est obscure : « S'il ne fallait rien faire que pour le certain, on ne devrait rien faire pour la religion ; car elle n'est pas certaine »[2]. Mais il affirme avec la même netteté : « On n'entend rien aux ouvrages de Dieu, si on ne prend pour principe qu'il a voulu aveugler les uns, et éclairer les autres. »[3] Ici, la plupart des lecteurs modernes, fidèles ou non à une Église, se révoltent, dénoncent l'outrance et le fanatisme. C'est l'expérience encore, pourtant, qui force Pascal à énoncer une pareille maxime. On peut

---

1. *Pensées,* classement Brunschvicg, n° 210.
2. *Pensées,* classement Brunschvicg, n° 234.
3. *Pensées,* classement Brunschvicg, n° 566.

croire, ou ne pas croire que Dieu existe, mais c'est un fait constatable, vérifiable, dans l'hypothèse même où il existe, que cette existence n'est pas sensible à tous. Affirmer aux libertins, comme une vérité de foi, qu'ils sont « éclairés » et qu'ils ont la grâce alors que leur expérience intime les convainc immédiatement du contraire, c'est les inviter à nier tous les autres articles du dogme, puisqu'ils constatent sur eux-mêmes la fausseté évidente d'un point qu'on leur dit être essentiel. L'auteur des *Provinciales*, on s'en doute, ne manque pas de faire remarquer aux Jésuites cette conséquence immanquable de leur doctrine[1]. Un incroyant pourra accepter de dire sous la suggestion de Pascal : « Je ne vois rien de ce que vous voyez et de ce que voient, me disent-elles, un certain nombre d'autres personnes visiblement intelligentes et sincères. Je désirerais fort le voir aussi. Quel moyen me proposez-vous ? » Mais il rira au nez de ceux qui veulent le persuader à toute force qu'il sent ce qu'il ne sent pas.

Dès lors, et en nous invitant toujours, bien entendu, à contrôler sur nous-mêmes les conséquences terrestres de sa doctrine, Pascal peut exposer celle-ci dans toute sa rigueur logique[2]. Nous avons été créés pour le bien et nous conservons toutes les nostalgies de ce premier état ; seul le bien peut nous combler. Mais Adam et Ève ont péché contre Dieu et contre eux-mêmes, et la nature humaine tout entière est désormais infectée. Nous le savons bien que nous sommes corrompus, que nous sentons en nous ce « chatouillement » indicible pour tout ce qui est charnel, que nous trouvons notre délectation et nos délices dans la concupiscence, que la moindre nudité

---

1. Quatrième Provinciale.
2. « Le seul chrétien conséquent », va jusqu'à dire Nietzsche. Pourtant sans parler de l'argument du pari, qui, tel qu'il nous est présenté dans l'état actuel des *Pensées,* engloutit bien toute finesse et toute géométrie, comme le dit Paul Valéry, une contradiction subsiste dans le système pascalien : autant Pascal explique avec force les comportements opposés, actuellement, de celui qui a la grâce et de celui qui ne l'a pas, autant il échoue, me semble-t-il, à nous expliquer comment Adam et Ève, non corrompus, et qui connaissaient leur bien, ont pu vouloir pécher. Selon la conception pascalienne de la liberté, psychologiquement très réaliste, le péché d'Adam n'est guère compréhensible.

nous attire. « Je suis charnel, écrit saint Paul sans mâcher ses mots, je prends plaisir à la loi de Dieu selon l'homme intérieur, mais je sens dans mes membres une autre loi, qui lutte contre la loi de mon entendement, et qui le rend captif de la loi du péché qui est dans mes membres. Misérable que je suis ! »[1]

Livrés à nous-mêmes, nous sommes rivés à nos désirs, constate Pascal après saint Paul ; nous chérissons la beauté éphémère des créatures. Seul un secours tout-puissant peut nous retourner en quelque sorte, nous illuminer d'une telle clarté, d'une telle ferveur que, trouvant à nouveau notre plus grande joie dans le bien absolu qui nous charme, même déchirés, nous nous portons vers lui « infailliblement, de tout nous-mêmes, par un mouvement tout libre, tout volontaire, tout amoureux »[2].

Les uns sont éclairés ; les autres, l'immense majorité, demeurent aveugles, déchus, voués au mal et à l'enfer. Phèdre a beau résister de toutes ses forces, elle ne peut rien pour elle-même. Vénus est dans sa chair, dans tout son être, dans sa volonté même. C'est la créature sans la grâce ; elle est perdue !... Les jansénistes et leurs disciples ou anciens élèves ne sont nullement les seuls au XVIIe siècle à reprendre la doctrine catholique traditionnelle et à l'appuyer sur l'expérience psychologique. Bossuet, Massillon, ne sont pas moins formels. Le Père Malebranche, l'un des plus grands philosophes du temps, reconnaît comme eux : « Il est *évident* que la nature est corrompue et dans le désordre puisque notre esprit est naturellement porté à aimer les corps.... Le péché originel ou le dérèglement de la nature n'a donc point besoin de preuves, chacun sent en soi-même une loi qui le captive et le dérègle. »[3] Et Malebranche va jusqu'à chiffrer, à plusieurs reprises, la proportion effrayante des élus et des réprouvés: « De 1 000 personnes, il n'y en a pas une vingtaine qui soient effectivement sauvées », écrit-il. « Il y aura vingt

1. Saint Paul, épître aux *Romains,* 7-8.
2. Pascal, dix-huitième Provinciale.
3. Malebranche, *Réponse à une dissertation de M. Arnauld,* 8ᵉ éclaircissement, et *Recherche de la vérité,* VIII, art. 3.

fois, cent fois, plus de damnés que d'élus »[1]! Comment
le sait-il ? peut-on demander. — Il se fonde, comme Massillon, comme Bossuet, comme Pascal, sur ce qu'il est bien
obligé de constater en regardant autour de lui : ceux qui
ont réellement la foi et qui la vivent, luttant de toutes
leurs forces contre « le dérèglement de la nature », sont
bien loin d'être le grand nombre, il y a certainement
« peu d'élus ». Saint Vincent de Paul, dans sa charité,
soupire en voyant « le pauvre peuple qui se damne »
faute de pouvoir et de vouloir se consacrer à son salut,
« faute de savoir les choses nécessaires et faute de se con-
fesser. »

Malebranche se donne beaucoup de mal pour essayer
de nous expliquer, pendant des pages et des pages, que la
bonté de Dieu n'est pas atteinte par ces damnations innombrables : « Dieu veut sauver tous les hommes : il les
aime tous, dit-il. Il aime son ouvrage mais il aime davantage sa sagesse. Il l'aime invinciblement. Il en suit les lois
inviolables... Dieu ne peut pas faire ce que sa sagesse lui
interdit. La justice qu'il se doit à lui-même le rend pour
ainsi dire impuissant »[2]. A vrai dire, malgré son insistance,
Malebranche n'a pas l'air très convaincu lui-même et il
finit par parler d'un « mystère effrayant »[3], un mystère
que Pascal pour sa part nous avait toujours invité à regarder en face, et à accepter :

« Il est sans aucun doute qu'il n'y a rien qui choque
plus notre raison que de dire que le péché du premier
homme ait rendu coupables ceux qui, étant si éloignés
de cette source, semblent incapables d'y participer. Cet
écoulement ne nous paraît pas seulement impossible, il
nous semble même très injuste ; car qu'y a-t-il de plus
contraire aux règles de notre misérable justice que de
damner éternellement un enfant incapable de volonté,
pour un péché où il paraît avoir si peu de part, qu'il est

---

1. Malebranche, *Réponse à une dissertation ae M. Arnauld,* III,
16 et IX-XIII.
2. Idem, III, 16.
3. Il a pourtant osé penser et écrire : « Les enfants ne naissent
pas justes, Dieu les hait » (*Recherche de la vérité,* Réponse aux
objections sur le péché originel).

commis six mille ans avant qu'il fût en être ? Certainement rien ne nous heurte plus rudement que cette doctrine ; et cependant ! sans ce mystère, le plus incompréhensible de tous, nous sommes incompréhensibles à nous-mêmes. Le nœud de notre condition prend ses replis et ses tours dans cet abîme ; de sorte que l'homme est plus inconcevable sans ce mystère que ce mystère n'est inconcevable à l'homme. »[1]

« Rien ne nous heurte plus rudement que cette doctrine », Pascal le reconnaît. Mais toute son éloquence se brise, ici, à nous convaincre que son Dieu parfaitement bon puisse avoir créé l'enfer et y envoyer des millions d'êtres, parmi lesquels des enfants ! Il ne trouve plus rien d'autre à nous répondre cette fois, que des aveux d'impuissance : « S'il y a un Dieu, il est infiniment incompréhensible... Qui sommes-nous pour parler de la justice de Dieu ?[2] » ou même des affirmations gratuites sans appui aucun cette fois sur nos sentiments : « La justice envers les réprouvés est moins énorme et doit moins choquer que la miséricorde envers les élus. »[3]

Les Jésuites ont beau avoir contre eux, avec le génie de Pascal, toute la tradition de l'Église, leur absence de rigueur, la duplicité ahurissante de certains de leurs casuistes, leur souci visible, « pour la plus grande gloire de Dieu », d'ambition politique, ils ont beau ruiner en fait comme le leur dit Pascal certaines parties du dogme, réduire les conséquences du péché originel, par exemple, à si peu de choses que la Rédemption par le sacrifice du Christ n'apparaît plus comme indispensable, c'est leur doctrine de la Grâce, finalement, qui l'emporte, parce qu'elle est, comme on dirait aujourd'hui, « dans le sens de l'Histoire », parce qu'elle concilie la croyance en Dieu avec un idéal de justice qui est devenu peu à peu l'une des exigences les plus profondes de l'homme. Le jansénisme, en refusant obstinément, par orgueil et par probité, de satisfaire à cette exigence, s'est condamné lui-même.

---

1. *Pensées,* classement Brunschvicg, n° 434.
2. *Pensées,* classement Brunschvicg, n° 233.
3. *Pensées,* classement Brunschvicg, n° 233.

● VOLTAIRE, LA CONFRONTATION AVEC LE RÉEL

Pascal, cependant, a mis en marche un mouvement irréversible. La religion désormais est discutée par tous. Pierre Bayle a beau être condamné par les catholiques comme par les protestants, il lance lui aussi (de Rotterdam) ses *Provinciales*[1], puis son *Dictionnaire historique et critique*, qui connaissent en plein règne de Louis XIV un éclatant succès malgré leur style médiocre. Toutes les grandes questions y sont passées en revue, et particulièrement, bien entendu, celle du mal, dont Bayle souligne à plaisir les plus graves difficultés. C'est même pour répondre à Bayle que Leibnitz rédige en mathématicien sa *Théodicée* : Dieu est tout-puissant et parfait, dit-il ; il ne pouvait créer un monde parfait qui aurait été un autre lui-même, mais, entre tous les mondes imparfaits théoriquement concevables, sa bonté infinie l'a obligé de toute nécessité à choisir le moins imparfait, puisqu'il le devait sous peine de cesser d'être lui-même, tout-puissant et parfaitement bon... D'où les fameuses formules, irréfutables assurément si l'on admet leurs prémisses, mais qui demeureront le modèle achevé des abstractions creuses auxquelles peuvent aboutir certaines doctrines philosophiques : *Dieu a créé nécessairement le meilleur des mondes possibles, tout est pour le mieux dans le meilleur des mondes possibles.*

A quoi Voltaire se contentera d'opposer avec un sang-froid imperturbable, dans *Candide*, le constat du réel, les innombrables souffrances que peuvent subir et que subissent les hommes par leurs propres fautes, par les fautes d'autrui ou du fait de la nature. Il ne s'indigne pas, il ne s'apitoie pas, il nous rappelle simplement tous les maux dont il a vérifié lui-même l'existence au cours de ses recherches pour l'*Essai sur les mœurs*. Sans presque nommer Leibnitz[2] ni son disciple Wolff, il réduit leur thèse, pour tous ses

---

1. Le titre exact est : *Réponse aux questions d'un provincial* comme celui de Pascal était : *Lettres écrites à un provincial par un de ses amis.* — 2. Il nomme Leibnitz une seule fois, à l'extrême fin du conte (ch. 28).

lecteurs, à la billevesée d'un maniaque, incapable de regarder le monde comme il est... Il est sinistre, le meilleur des mondes possibles ! Par conséquent, le Créateur tout-puissant et parfaitement bon n'existe pas. S'il y a un Dieu, comme Voltaire continue à le croire, ce ne peut plus être de nouveau que celui d'Épicure, qui ne s'occupe absolument pas des hommes : « Quand sa Hautesse envoie un vaisseau en Égypte, s'embarrasse-t-elle si les souris qui sont dans le vaisseau sont à leur aise ou non ? »[1] Que les souris donc, que les hommes, s'ils ont un peu d'intelligence, organisent leur vie du mieux qu'ils peuvent dans le domaine minuscule qui est le leur, qu'ils cultivent, ensemble[2], leur jardin terrestre et s'efforcent d'y connaître, dans la paix et la tolérance, le bonheur relatif qui est seul compatible avec leur condition. Le travail, entre autres, « éloigne de nous trois grands maux : l'ennui, le vice et le besoin »[1]. Et le rire, comme l'a dit Rabelais et comme *Candide* le prouve, est le propre de l'homme, même si parfois ce rire est quelque peu grinçant. Silence aux métaphysiques : elles n'expliquent pas le mal, elles l'augmentent !

● LE MAL SOCIAL

La Révolution proclame les Droits de l'homme, et l'humanité ne pourra plus oublier, désormais, la déclaration fameuse de 1789. Les pires tyrannies n'oseront plus la nier en face, elles cacheront leurs camps et leurs tortures.

Mais, parmi les maux que les hommes se causent à eux-mêmes, la *misère*, les inégalités sociales les plus fortes apparaissent toujours à un grand nombre comme un fait naturel dont ils s'accommodent volontiers ; certains y voient même un élément nécessaire de l'harmonie économique. De même que jadis, aux yeux de certains philo-

1. *Candide,* dernier chapitre, voir plus loin p. 102.
2. Candide ne dit pas « Il faut cultiver *son* jardin », mais « Il faut cultiver *notre* jardin ». Le bonheur revient dans le petit groupe lorsque Candide et les siens n'exploitent plus le travail de Cacambo, lorsqu'ils s'efforcent tous de constituer une communauté véritable.

sophes et théologiens [1], le mal n'était qu'un élément nécessaire de la perfection du monde, comme les ombres dans
un beau tableau, les hurlements même des damnés résonnant
comme des dissonances expressives indispensables dans le
concert parfait de la création, — ainsi la misère pour de
trop nombreux économistes patentés, dans la société du
XIXᵉ siècle. Le soleil est-il responsable de l'ombre glacée
derrière les objets qu'il éclaire ? Le capitalisme naissant
peut bien faire travailler jusqu'à dix heures par jour,
dans les filatures ou dans les mines, des enfants de moins
de huit ans [2], agglomérer les prolétaires comme des bêtes
dans les caves de Lille, de Nantes, des cités anglaises, ses
partisans ne sont aucunement troublés. « Il est bon,
écrit Charles Dunoyer, dans un livre intitulé *De la liberté
du travail*, ou *Simple histoire des conditions dans lesquelles
les forces humaines s'exercent avec le plus de puissance* [3],
il est bon qu'il y ait dans la société des lieux inférieurs où
soient exposés à tomber les familles qui se conduisent mal,
et d'où elles ne puissent se relever qu'à force de se bien conduire. La misère est ce redoutable enfer. » Et Charles
Bastiat, lui, conseille doucement la patience aux misérables :
« Je crois que le mal aboutit au bien et le provoque. Attendez la fin, et vous verrez que si chacun s'occupe de soi,
Dieu pense à tous... A la vue de cette harmonie, l'écono-
miste peut bien s'écrier comme l'astronome ou le physio-

---

1. Chrysippe, Marc-Aurèle, Plotin, saint Augustin en particulier.

2. Voir plus loin, p. 119, le texte de Victor Hugo sur le travail
des enfants. Voir aussi dans *Les châtiments* le poème *Joyeuse vie*,
Univers des Lettres Bordas, p. 75. Victor Hugo sait de quoi il parle.
Il est allé à Lille en février 1851 avec Jérôme Blanqui et ce qu'il
a vu dans les quartiers ouvriers l'a bouleversé. Il connaît les
enquêtes de Louis Blanc, des docteurs Villermet et Gasset : « A Lille
il meurt avant la cinquième année 1 enfant sur 3 dans la rue
Royale (le beau quartier), 7 sur 10 dans les rues Réunies, — et,
dans la rue des Etaques considérée seule, c'est, sur 48 naissances,
46 décès que nous trouvons ». De tels chiffres se passent de
commentaires.

3. Paru en 1845, cité par Gide et Rist dans leur *Histoire des
doctrines économiques*.

logiste : " *Digitus Dei est hic* " le doigt de Dieu est là. »
Le livre d'où ces lignes sont extraites s'appelle effectivement
Harmonies économiques[1].

Karl Marx, Victor Hugo, Charles Dickens décrivent, eux,
après des enquêtes précises, la réalité de la misère prolé-
tarienne : « la faim, la soif, les maladies, les crimes, la
dégradation, l'hébétude, toute l'inhumanité et toute
l'antinature »[2]. Victor Hugo, comme Marx, aperçoit
fort bien la cause économique :

« Sans trève, nuit et jour, dans le siècle où nous sommes.
Ainsi que des raisins on écrase des hommes,
　　　Et l'or sort du pressoir »[3]

Mais, comme Péguy, qui évoquera plus tard avec tant
d'émotion et d'exactitude dans *Jean Coste* l'abîme psychologique où se trouvent plongés les malheureux, Victor
Hugo, dans le grand roman qui devait d'abord s'appeler
Les misères et deviendra sous le titre *Les misérables* l'un
des livres les plus lus du monde, Victor Hugo reprend
volontairement, pour cette misère terrestre, les mots
d'*enfer* et de *damnation* employés si légèrement par Charles
Dunoyer ; il se pose sans cesse, à la fois, le problème
social et le problème métaphysique :

« Tant qu'il existera, par le fait des lois et des mœurs,
une damnation sociale créant artificiellement, en pleine
civilisation, des enfers, et compliquant d'une fatalité
humaine la destinée qui est divine ; tant que les trois
problèmes du siècle, la dégradation de l'homme par le
prolétariat, la déchéance de la femme par la faim, l'atrophie
de l'enfant par la nuit, ne seront pas résolus ; tant que,
dans certaines régions, l'asphyxie sociale sera possible ;
en d'autres termes, et à un point de vue plus étendu encore,

---

1. Paru en 1849. Ce texte, comme le précédent, est cité par Gide
et Rist dans leur *Histoire des doctrines économiques,* et par Maurice
de Gandillac dans *Le mal est parmi nous.*

2. Karl Marx, *La sainte famille,* II, p. 139.

3. Victor Hugo, *Les châtiments,* « Joyeuse vie », (Univers des
Lettres Bordas, p. 78).

tant qu'il y aura sur la terre ignorance et misère, des livres de la nature de celui-ci pourront ne pas être inutiles. »[1]

A tous ceux qui croiraient volontiers, parfois, qu'à une certaine profondeur de dénuement l'inconscience l'emporte, les questions ne sont plus posées, Victor Hugo rappelle que les misérables les plus misérables savent exprimer tout autant que les philosophes et souvent avec plus de sensibilité la contradiction entre les croyances religieuses qu'ils gardent encore et la réalité de ce qu'ils souffrent. L'argot « des pauvres pègres » est plus éloquent ici que les réponses de Marc-Aurèle ou de saint Thomas : « Je n'entrave que le dail comment meck, le daron des orgues, peut atiger ses mômes et ses momignards, et les locher criblant sans être atigé lui-même. »[2]

● « NOUS NE VOYONS JAMAIS QU'UN SEUL COTÉ DES CHOSES »

Hugo est sans doute l'une des âmes les plus religieuses, les plus mystiques qui soient. Il ne peut pas ne pas croire en Dieu. Mais, pendant des mois, quand il a perdu sa fille Léopoldine en plein bonheur, il n'a senti dans son cœur que révolte et que haine. Même lorsqu'il se croit apaisé, capable de regarder en face la mort de son enfant, il retrouve presque aussitôt toutes ses accusations, tous ses cris, — dans la plus belle peut-être des méditations douloureuses de notre littérature[3]. Il se répète en vain, inlassablement, les pauvres arguments, les constatations sinistres, même pas religieuses d'ailleurs, qu'on entend à toutes les obsèques, l'humiliation de l'impuissance humaine :

« Puisque ces choses sont, c'est qu'il faut qu'elles soient ;
    J'en conviens, j'en conviens ! »

---

1. Page liminaire des *Misérables*.

2. « Je ne comprends pas comment Dieu, le père des hommes, peut torturer ses enfants et ses petits-enfants et les entendre crier sans être torturé lui-même » (Traduction de Victor Hugo).

3. Elle est citée intégralement p. 113.

Mais de nouveau, les plus solides apparemment de ces essais d'explication se tournent aussitôt en blasphèmes :

« Je sais que vous avez bien autre chose à faire
                    Que de nous plaindre tous,
Et qu'un enfant qui meurt, désespoir de sa mère,
                    Ne vous fait rien à vous ? »

« [...] Vous ne pouvez avoir de subites clémences
Qui dérangent le monde, ô Dieu, *tranquille* esprit ! »

Victor Hugo se soumet enfin ; il est bien obligé de se soumettre puisqu'il ne peut nier ; il se soumet à Dieu comme à un maître tout-puissant et immuable, — mais il ne *se résigne* pas[1]. Il parvient à *adorer* mais non à *aimer* cette divinité qui s'affirme paternelle et qui torture les enfants des hommes. Et il n'aura de cesse désormais qu'il n'ait trouvé une explication non seulement à la mort, ou aux souffrances personnelles comme celle qu'il vient de subir, non seulement à l'injustice sociale, mais, plus mystérieuse encore pour lui dans l'hypothèse d'un Dieu juste, à l'iné- galité de départ entre les êtres, à ces différences énormes de chances de santé, de bien-être, de bonheur, qui nous marquent chacun dès notre naissance selon les détterminis- mes étranges de l'hérédité, indépendamment de tout régime politique. — Indépendamment même de la condi- tion humaine ! Les animaux aussi souffrent. Pourquoi ont-ils été créés ? Faut-il leur accorder aussi une vie future ?

● LA SOLUTION DE HUGO, — ET DE L'INDE

Victor Hugo, qui admire profondément le Christ, repousse avec mépris les religions particulières et les Églises. Pendant des siècles elles ont laissé les hommes dans l'ignorance, ou ne leur ont appris que des prières ; au nom d'un Dieu d'amour, elles les ont jetés les uns contre les autres dans des croisades ou des guerres saintes ; au nom de la Vérité, leurs inquisitions ont brûlé et pendu des

---

1. « Et mon cœur est soumis, mais n'est pas résigné », v. 140 de *A Villequier* (voir plus loin p. 117).

hommes libres[1]. Les dogmes du péché originel et de la rédemption ne lui paraissent pas seulement cruels mais stupides ; pour les dénoncer, Hugo retrouve soudain la verve même du XVIIIe siècle :

« Vous prêtez au Bon Dieu ce raisonnement-ci :
J'ai jadis, dans un lieu charmant et bien choisi,
Mis la première femme avec le premier homme ;
Ils ont mangé, malgré ma défense, une pomme.
C'est pourquoi je punis les hommes à jamais.
Je les fais malheureux sur terre, et leur promets
En enfer, où Satan dans la braise se vautre,
Un châtiment sans fin pour la faute d'un autre.
Rien de plus juste. Mais, comme je suis très bon,
Cela m'afflige. Hélas, comment faire ? Une idée :
Je vais leur envoyer mon fils dans la Judée ;
Ils le tueront. Alors — c'est pourquoi j'y consens —
Ayant commis un crime, ils seront innocents.
Leur voyant ainsi faire une faute complète,
Je leur pardonnerai celle qu'ils n'ont pas faite.
Ils étaient vertueux ; je les rends criminels ;
Donc je peux leur rouvrir mes vieux bras paternels,
Et de cette façon cette race est sauvée,
Leur innocence étant par un forfait lavée...
L'homme étant la souris dont le diable est le chat,
On appelle ceci Rédemption, Rachat,
Salut du Monde, et, Christ est mort, donc l'homme est libre,
Et tout est désormais fondé sur l'équilibre
D'un vol de pomme avec l'assassinat de Dieu.
Soit. Mais ne rions plus... du nègre et du tabou »[2].

La seule solution, finalement, qui paraisse à Victor Hugo concilier le mal du monde et la justice de Dieu, c'est celle de Platon et de l'Inde[3], celle de la transmigra-

---

1. Discours du 15 janvier 1850 sur la liberté de l'enseignement (dans *Actes et paroles*, I).
2. Ce texte est intitulé férocement « Chef-d'œuvre », dans *Religions et religion*.
3. Celle aussi des Pythagoriciens, — et des Druides, si l'on en croit César. En fait, même sur la métempsychose, il y a comme l'on peut s'en douter de profondes différences, sur lesquelles nous ne pouvons guère nous attarder ici, entre ces diverses croyances, mais leur point commun, si étranger aux conceptions occidentales les plus communes, est nécessairement ce qui frappe d'abord.

tion des âmes. Chaque être, humain ou non, est récompensé ou puni, dans ses vies successives, en la proportion exacte de ce qu'il a accompli de bien ou de mal, suivant les possibilités qui étaient les siennes, dans ses existences antérieures. Toute souffrance donc a son explication. Aucune peine n'est imméritée, mais aucune non plus n'est définitive. La création entière, mystérieuse, monte peu à peu vers le bien total.

Cette solution est cohérente, elle apporte effectivement, aux plus angoissantes des questions religieuses que se soient posées les hommes, une réponse qui se tient. Dieu cesse d'être injuste, l'espoir est toujours ouvert et la mort même n'est plus qu'une étape.

« Certaine est la mort pour tous ceux qui naîtront,
Mais certaine est la vie pour tous ceux qui sont morts. »[1]

● LE REFUS D'IVAN KARAMAZOV

Seulement cette réponse, sans aucune vérification possible, entièrement hypothétique, exige des hommes, tout autant que les diverses interprétations du christianisme occidental, la foi. Or elle cesse pratiquement de faire de Dieu une personne, ce « Quelqu'un » dont parle Claudel, à qui les croyants peuvent parler, confier leurs misères et leurs prières, leurs doutes, leur volonté éperdue d'amour. Victor Hugo célèbre le Christ, mais il le rend à notre condition douloureuse. L'homme ne trouve plus en lui ce Modèle parfait, ce Médiateur, qui pouvait à la fois, en raison de sa double nature, tout comprendre et tout racheter, nous garder à nous-même tel que nous voulons demeurer (sans devenir un autre être !) et nous entraîner avec lui vers son Père. Les prophètes, les « mages », les « voyants » de Hugo, comparés à Jésus, font sourire. Ils ne sont pas « sensibles au cœur ». Hugo n'aura aucun disciple.

---

1. Vers de la *Bhagavad Gîtâ*, l'un des plus beaux poèmes religieux de l'Inde.

tâchant de savoir à quoi s'en tenir sur Dieu.

« Homme tâchant de savoir à quoi s'en tenir sur Dieu. »

(Dessin de Victor Hugo, extrait de l'album *Théâtre de la Gaîté*).

Même Dostoïevski, l'homme sans doute qui a été le plus déchiré par le problème du mal, l'homme qui a fait dire à Ivan Karamazov : « Non. Toute l'harmonie du monde ne vaut pas les larmes d'un enfant... Si les supplices des enfants entrent vraiment dans cette harmonie, je préfère garder mes souffrances non rachetées et ma révolte, *même au cas où j'aurais tort...* Cette harmonie est surfaite, l'entrée coûte trop cher, j'aime mieux rendre mon billet », même l'homme qui a écrit ces lignes n'a pu se détacher de la religion du Christ, *vraie ou fausse*. Il écrit à sa sortie du bagne, dans une lettre personnelle à Nathalia von Vizine, cet aveu pathétique, parallèle et contraire tout ensemble à celui d'Ivan, dont la contradiction ne peut guère être dépassée [1].

« Que d'atroces tortures m'a coûtées et me coûte encore maintenant cette soif de croire qui est d'autant plus forte en mon âme qu'il y a en moi plus d'arguments contraires. Pourtant Dieu m'envoie parfois des instants où je suis tout à fait paisible ; à ces instants-là, j'aime et je me sens aimé par les autres ; et c'est à ces instants-là que j'ai formé en moi un Credo où tout est clair et sacré pour moi. Ce Credo est très simple, le voici : croire qu'il n'est rien de plus beau, de plus profond, de plus sympathique, de plus raisonnable, de plus viril et de plus parfait que le Christ ; et je me dis avec un amour jaloux non seulement qu'il n'y a rien, mais qu'il ne peut rien y avoir. Plus encore, si quelqu'un me prouvait que le Christ est en dehors de la vérité, et qu'il serait *réel* que la vérité fût en dehors du Christ, j'aimerais mieux alors rester avec le Christ qu'avec la vérité. »

● LA FOI MALGRÉ LE MAL

Seul ou presque dans la littérature occidentale, assumant le christianisme dans sa totalité, un Claudel essaiera encore de donner au problème du mal les explications classiques : « Tout est bien, le mal est dans le monde

---

1. Baudelaire n'est pas allé si loin. Voir page 135, note 1.

comme un esclave qui fait monter l'eau »[1] ; le mal fait ressortir le bien, il concourt au bien, c'est un révulsif, « ce que saint Paul appelle un aiguillon, *stimulus*, un révélateur », il est une provocation à la lumière ; « Dieu écrit droit avec des lignes courbes »[2], Dieu a réussi à faire tourner à sa gloire le péché d'Adam lui-même et tous les maux terrestres ; « Il n'a pas voulu qu'il y eût rien de toutes ces choses qu'Il a créées qui ne serve et qui ne Lui serve. Le péché aussi sert. La mort aussi sert... » ; le péché originel nous a valu l'Incarnation et la Rédemption. « *O felix culpa qui tantum et talem meruit Redemptorem ! Valde necessarium peccatum !* »[3]. « Il n'y a plus de péché qui ne serve à notre rédemption... Merci à notre péché qui nous a valu ça. »[4]

Toutes ces phrases sont assurément, pour la plupart des lecteurs, beaucoup plus irritantes que convaincantes, — mais Claudel lui-même, qui a pourtant tracé de l'enfer une peinture que l'on ne peut pas oublier[5], n'a pas le courage, dit-il, de traduire le chapitre 34 d'Isaïe sur l'enfer, tellement il est pour lui « effroyable » ; il nous invite seulement à nous reporter au texte et à le méditer. Et il parle d'un autre ton, heureusement, lorsqu'il s'adresse directement à ceux qui souffrent, aux « diminués » incurables des hôpitaux de Berck par exemple[6]. Combien Péguy, Bernanos, Mauriac, Simone Weil, Teilhard de Chardin nous touchent davantage.

Dieu a aimé les hommes, la liberté des hommes, nous dit Péguy, au point d'avoir accepté de dépendre d'eux,

---

1. Est-ce que l'esclave n'est pas ? ou doit-on dire simplement : Tant pis pour l'esclave ! Il faut bien des esclaves puisqu'il faut de l'eau.

2. Proverbe portugais placé en première épigraphe du *Soulier de satin*. Le deuxième texte placé en seconde épigraphe : *Etiam peccata !* (même les péchés !) est tiré d'un passage de saint Augustin interprété à contresens (*De libero arbitrio*, III, 9)... mais saint Augustin, en d'autres passages, a soutenu effectivement la thèse à laquelle se réfère Claudel (voir Henri Marrou, *Saint Augustin et l'augustinisme*, p. 142).

3. *Heureuse faute qui nous a valu un si grand, un tel Rédempteur ! O vraiment nécessaire péché (d'Adam) !* Office du Samedi Saint.

4. Claudel, *Le Repos du septième jour* (voir plus loin, p. 146) et l'*Évangile d'Isaïe*, pp. 110, 111, 112, 257, 297, 298.

5. Voir plus loin, p. 149.

6. Voir plus loin, p. 150.

lui, le Tout-Puissant ! Le dernier d'entre nous par ses péchés, par le moindre de ses actes, peut ajouter, s'il lui plaît, aux tortures du Christ, faire aboutir ou faire avorter l'espérance de Dieu, le dessein de Dieu. Tel est le mystère de l'amour. Celui qui aime se met, par cela précisément, dans la dépendance de celui qu'il aime. La perfection du monde, désormais, dépend de nous...

Et le même Péguy refuse obstinément la damnation éternelle de quiconque, fût-ce même celle de Judas, indiquée expressément dans l'Évangile ; il y voit une des causes les plus profondes du désespoir du Christ tel que nous l'a rapporté saint Marc.

> « Jésus mourant pleura sur les abandonnés
> Jésus mourant pleura sur la mort de Judas. »

On lira plus loin quelques-uns des textes les plus émouvants où Bernanos, dans une perspective assez différente, place dans le cœur de Dieu, pour ses personnages, toute la pitié qui est dans le sien : « Nos peines ne nous appartiennent pas, Dieu les assume, elles sont dans son cœur. Nous n'avons pas le droit d'aller les y chercher, pour les défier, les outrager. Comprenez-vous... ? »[1] Mais Péguy et Bernanos ne peuvent faire que le problème ne demeure : « J'éprouve un déchirement qui s'aggrave sans cesse, dit Simone Weil, à la fois dans l'intelligence et au centre du cœur, par l'incapacité où je suis de penser ensemble dans la vérité, le malheur des hommes, la perfection de Dieu et le lien entre les deux[2]. » Teilhard de Chardin construit une cosmologie grandiose, il doit conclure pourtant à l'impuissance actuelle, provisoire, de Dieu : « ... si Dieu nous laisse souffrir, pécher, douter, c'est qu'il *ne peut pas*, maintenant et d'un seul coup, nous guérir et se montrer. Et, s'il ne le peut pas, c'est uniquement parce que nous sommes encore *incapables*, en vertu du stade où se

---

1. *Journal d'un curé de campagne* (fin de la grande scène où l'humble curé d'Ambricourt obtient de la comtesse qui a perdu son enfant qu'elle consente totalement à la volonté de Dieu).
2. Simone Weil, *Écrits de Londres*.
3. Voir plus loin p. 179.

trouve l'Univers, de plus d'organisation et de plus de lumière. »[3] Et Mauriac reconnaît avec sa profondeur et sa franchise habituelle :

« Le problème du mal, le mal innombrable et partout triomphant, il n'existe pas pour le chrétien une pierre d'achoppement pire que celle-là ; mais elle est telle que pour ne pas perdre cœur en butant contre, il ne lui reste qu'à la survoler, dans un effort délibéré de volonté. C'est cela, la foi. C'est cela, croire. C'est un cri dans la nuit, un cri répété par mille sentinelles, comme dit Baudelaire, " un appel de chasseur perdu dans les grands bois " — oui c'est cela : un cri auquel beaucoup d'autres répondent, et quelquefois, au-dedans de nous, quelqu'un qui nous comble tout à coup de sa paix et de son silence. »[1]

• REFUSER — OU AFFRONTER — L'ABSURDE

C'est ici que se fait, à coup sûr, la séparation décisive. Si Mauriac se force à accepter le mystère du mal, d'une justice de Dieu totalement incompréhensible, c'est parce que l'éventualité opposée, celle d'un univers qui n'aurait aucun sens, où l'homme et la douceur de l'amour ne seraient que les résultantes de hasard des transformations sans nombre de la matière, lui paraît plus monstrueuse encore, littéralement inconcevable :

« ... L'artiste en moi, le poète, se refuse à croire à un monde absurde. Un andante de Mozart, une lettre de Maurice de Guérin, un poème de Baudelaire ou de Rimbaud me donnent " la sensation de l'âme ", la certitude que l'âme existe, qu'il est impossible que ce gémissement sorte de rien et n'aille à rien : c'est pour moi une évidence que je ne saurais fonder en raison, — comme d'ailleurs un corps, un visage : certains visages sont *divins* à la lettre. Ils sont *signés*. La preuve de Dieu c'est l'homme. »[2]

Mauriac, « dans un effort délibéré de volonté », conserve donc sa foi malgré le mal parce qu'il refuse l'absurdité

---

1. Bloc-notes, dans *L'Express* du 13 février 1960.
2. « Pourquoi je crois en Dieu », dans *Opéra,* déc. 1960.

du monde. Camus, Malraux, « dans un effort délibéré de volonté », rejettent la foi à cause du mal et affrontent l'absurdité du monde. Pour eux et pour bien d'autres, comme pour Ivan Karamazov, la souffrance des innocents, la mort de ceux qu'on aime, l'enfer, sont des *accusations irréductibles*[1]. Lorsque le Père Paneloux, dans *La peste*, essaie de suggérer au docteur Rieux que peut-être devons-nous aimer ce que nous ne pouvons pas comprendre, le docteur Rieux se redresse d'un seul coup ; il regarde Paneloux avec toute la force et la passion dont il est capable et il secoue la tête : « Non, mon Père, dit-il, je me fais une autre idée de l'amour. Et je refuserai jusqu'à la mort d'aimer cette création où des enfants sont torturés. »[2] Boris Vian est peut-être plus violent encore, malgré ou plutôt à cause de sa tendresse, lorsqu'il fait demander à Jésus par Colin qui vient de perdre celle qu'il aime, dans *L'écume des jours* : « Pourquoi est-ce que vous l'avez fait mourir... Je ne vois pas ce que nous avons fait. Nous n'avons pas mérité cela... Qui est-ce que cela regarde ? »[3]

Nietzsche enviait à Stendhal la phrase nette et définitive que Mérimée nous a rapportée : « Ce qui excuse Dieu c'est qu'il n'existe pas. » Elle explique à elle seule, en effet, toutes les autres raisons devenant secondaires à côté d'elle, la révolte résolue de l'athéisme contemporain. L'existence éventuelle de Dieu, d'un Dieu que les hommes n'ont pas cessé de modifier à leur image[4], pose des problèmes plus insurmontables que ceux qu'elle résout[5]. Elle est plus « scandaleuse » en tout cas, comme dit Camus, que l'existence même d'un univers sans but entraînant dans ses évolutions sans fin des multitudes d'êtres pensants ou non dont la vie et la mort n'ont aucun sens. La peine

1. Des accusations et des *humiliations* irréductibles (Malraux, *La voie royale*).
2. Voir plus loin, p. 196.
3. Voir plus loin, p. 201.
4. On connaît la phrase célèbre de Voltaire : « Dieu a fait l'homme à son image, l'homme le lui a bien rendu ».
5. Voir Salacrou, p. 243.

capitale généralisée définit notre condition[1], c'est vrai ;
les hommes sont seuls avec eux-mêmes, — non pas *délaissés*
comme dit Sartre[2] — *seuls* ! seuls contre le mal et contre
l'absurde. Mais pour un grand nombre semble-t-il, ils
préfèrent désormais cette solitude tragique aux consolations éventuelles d'une foi qui suppose un Dieu complice
du mal.

« Je ne l'accepterai jamais, dit Malraux, je ne m'abais-
serai pas à lui demander l'apaisement auquel ma faiblesse
m'appelle. »[3]

● LA CONQUÊTE DU POSSIBLE

« L'important, de toute façon, n'est pas de remonter à la
racine des choses, mais, le monde étant ce qu'il est, de
savoir comment s'y conduire...[4] » La vie n'a pas de sens,
mais chaque homme peut donner un sens à la sienne,
chercher de quelle façon il entend la vivre. Seuls en face
de l'univers indifférent, mais solidaires, capables de connaissance et d'amour, les humains peuvent trouver ici-bas,
ensemble, les armes de leur bien. « Le péché contre la terre
c'est le plus terrible péché, dit Nietzsche. Ne plus cacher
sa tête dans le sable des choses célestes, mais la porter
fièrement, cette tête terrestre qui crée le sens de la terre...
Mes frères, demeurez fidèles à ma terre. »[5]

Car prendre conscience exacte de nous-mêmes, c'est
aussi prendre conscience de nos *pouvoirs*, de la mesure,

---

1. Camus, *L'homme révolté*, p. 40.
2. *L'existentialisme est un humanisme*, p. 36. Délaissés par qui ?
puisque Sartre proclame son athéisme. Par le Dieu auquel ils ont cessé
de croire ?... Le mot, malgré une certaine justesse psychologique, est
illogique et faible. Celui qui est délaissé peut espérer encore être
de nouveau aimé, repris en main. Beaucoup d'existentialistes n'ont
pas cet espoir.
3. *La tentation de l'Occident*, dernière page.
4. Camus, *L'homme révolté*, p. 14.
5. Thomas Mann écrit dans le même sens, mais beaucoup moins
fortement : « Le socialisme n'est pas autre chose que la décision qui
s'impose comme un devoir de ne plus détourner son regard vers
les nuages métaphysiques en fuyant les exigences les plus urgentes de
l'univers matériel, de la vie sociale ou collective, mais d'être avec
ceux qui veulent donner un sens à la terre, un sens humain. »

faible sans doute et souvent même dérisoire, mais de plus en plus grande, selon laquelle nous pouvons, connaissant les lois des phénomènes, les appliquer en vue de fins choisies par nous, et commander à la nature en lui obéissant[1].

Le problème du mal jeté par-dessus bord avec la métaphysique, les questions réelles commencent. Seulement il faut reconnaître qu'elles échappent, pour une grande part, à la littérature comme à la philosophie. Au pasteur qui lui demande, croyant toute réponse impossible : « Quelle foi politique rendra compte de la souffrance du monde », l'un des héros de Malraux réplique sèchement, comme autrefois Voltaire à Jean-Jacques[2] : « J'aime mieux la diminuer que d'en rendre compte »[3]. Voltaire effectivement, après 1758, consacre autant de temps à la défense de Calas, de Sirven, de Lally-Tollendal qu'à la rédaction même de *Candide* ou à créer de nouvelles pièces. De nombreux écrivains, aujourd'hui, font de même[4]. Ils reconnaissent que la science, la politique, l'action quotidienne privée et publique sont *premières*.

C'est la science qui a doublé la durée moyenne de la vie humaine, c'est la politique qui décide de l'emploi de l'énergie nucléaire à des fins bienfaisantes ou dévastatrices, c'est notre attitude de chaque jour qui cause le bonheur ou le malheur de ceux que nous aimons. Le rôle des lettres et des arts est toujours admirable, mais, tout au moins en ce qui concerne le mal, il est *second* : créer de la beauté, aider à la conscience et à la justice.

---

1. « On ne commande à la nature qu'en lui obéissant » (Bacon).
2. Voir p. 95 et p. 96.
3. *La condition humaine*, IVᵉ partie.
4. Leur formation d'écrivain ne leur confère aucun privilège d'infaillibilité, cela va sans dire, et ils peuvent estimer aussi, à bon droit, devoir se consacrer entièrement à une œuvre qui, si elle s'impose pour des siècles, sera plus utile à long terme que leurs interventions proprement politiques. Mais leurs responsabilités sont à la mesure de leurs pouvoirs et de leur prestige... Quelques auteurs contemporains, d'autre part, principalement Georges Bataille, ont pensé que la littérature était nécessairement liée au mal, que là seulement elle trouvait son inspiration, son levain, une « complicité » véritable avec le lecteur. On trouvera l'exposé de cette thèse et des textes caractéristiques, pp. 226 et 227.

Zola, sans doute, a essayé de faire des romans qui soient véritablement scientifiques : « Le romancier, dit-il, est fait d'un observateur et d'un expérimentateur. L'observateur, chez lui, donne les faits tels qu'il les a observés, pose le point de départ, établit le terrain solide sur lequel vont marcher les personnages et se développer les phénomènes. Puis l'expérimentateur paraît et institue l'expérience, je veux dire fait mouvoir les personnages dans une histoire particulière pour y montrer que la succession des faits y sera telle que l'exige le déterminisme des phénomènes mis à l'étude. »[1] Mais, bien que Zola lui-même ait déclaré n'avoir fait que transcrire l'*Introduction à la médecine expérimentale*[2] en substituant le mot *art* au mot *médecine*, comment ne pas reconnaître, précisément, que cette substitution est absolument impossible, contraire à l'art comme à la science ? Où est le contrôle expérimental proprement dit, dans un roman ? Zola nous a fait sentir en des pages saisissantes, par exemple dans la méditation de Clotilde donnant le sein à son enfant dans *Le docteur Pascal*, « le formidable poids du passé ancestral sur un être neuf », ou, dans *L'assommoir*, les désastres et quelques-unes des responsabilités de l'alcoolisme, mais il utilise la science, il ne fait pas de la science ! C'est la volonté seule de l'écrivain, parce qu'il croit à « l'hérédité d'imprégnation », qui décide de faire ressembler Nana à Lantier, le premier amant de sa mère ; c'est son imagination, guidée par la vraisemblance, qui règle « le déterminisme de ses personnages », en se trompant assez gravement, par exemple, sur le mode de transmission de l'hémophilie[3]. Non, en ce domaine, comme le reconnaissent un Ionesco aussi bien qu'un Jean Rostand, « le plus petit

---

1. *Le roman expérimental*, I, 1.
2. de Claude Bernard (1865).
3. Voir Jean Rostand, *Zola homme de vérité*, discours prononcé à Médan en 1949. Henri Céard avait déjà écrit à Zola le 28 septembre 1878 : « Il y a un sophisme capital dans votre étude sur le roman expérimental. Claude Bernard, quand il institue son expérience, sait parfaitement dans quelles conditions elle se produira et sous l'influence de quelles lois déterminées. A chaque instant, il opère sur la modification du corps qu'il traite un contrôle scrupuleux, et toujours il arrive à un résultat mathématiquement indiscutable. En outre, il a au moins le moyen précis de vérifier toutes ses expériences. En est-il identiquement de même pour le romancier ? ».

chercheur de laboratoire est supérieur au plus grand des poètes »[1]..., la littérature n'est pas la science.

Mais la littérature est un appel.

L'honneur de Zola et de Proust, de Camus, de Valéry, de Malraux, c'est de nous inviter constamment, par le plaisir même de la lecture, à réfléchir sur nous-mêmes, et à mieux choisir, d'après notre *savoir* et notre *pouvoir*, notre *vouloir*, à refuser d'être passifs. Le bouchon sur la mer paraît libre et jouer à sa guise, alors qu'il est totalement soumis aux fluctuations des vagues ; l'homme, s'il connaît les courants et s'il est ferme, peut commander dans une certaine mesure à son destin.

« Camarade, n'accepte pas, écrit Gide ; du jour où tu commenceras à comprendre que le responsable de presque tous les maux de la vie, ce n'est pas Dieu, ce sont les hommes, tu ne prendras plus ton parti de ces maux, ... Travaille, et lutte, et n'accepte de mal rien de ce que tu pourrais changer, ... Ne sacrifie pas aux idoles »[2]. Nous ne pouvons pas ne pas mourir, mais nous pouvons réduire du moins notre dépendance, agir sur nous, réformer ou transformer l'état social, découvrir, aimer, créer. Notre vie même, nous pouvons accepter parfois de la donner, calmement, comme en témoigne, entre tant d'autres exemples, l'admirable dernière lettre de Jacques Decour que nous citons ici[3]. Si limitée qu'elle soit, l'humble existence humaine ouvre malgré l'inéluctable des possibilités sans nombre[4]. A nous de savoir les saisir :

« O mon âme chère, dit la belle épigraphe du *Cimetière marin* et du *Mythe de Sisyphe*, n'aspire pas à la vie immortelle, mais épuise le champ du possible ».

1. Ionesco, *Le monde*, 12-9-70, et Jean Rostand, *Zola homme de vérité* (discours de Médan, 1949).
2. Dernière page des *Nouvelles nourritures*.
3. Voir plus loin, p. 238.
4. Les dernières pages de *L'espoir*, de Malraux, sont l'une des plus belles illustrations de ce thème.

● CHAPITRE II

LE XVIIᵉ SIÈCLE

● LE MAL EST EN NOUS

Appuyé sur la foi, mais également sur une analyse psychologique impitoyable, le sentiment de la corruption de l'homme imprègne une bonne partie des œuvres littéraires du XVIIᵉ siècle, religieuses ou profanes. Mais non pas toutes. Corneille, Descartes, Molière, Cyrano, Gassendi, les Jésuites témoignent — en sens divers —, de tendances tout autres, et il est significatif que les deux pièces de Molière qui aient connu le plus de succès, de loin, soient *Dom Juan* et *Tartuffe*. Malgré l'absolutisme, le XVIIᵉ siècle est une période de vie intellectuelle intense, dont les grandes « querelles » préparent les esprits aux transformations des siècles suivants.

Sélection bibliographique :

L'édition des œuvres de Pascal la plus commode est actuellement « l'Intégrale » publiée par le Seuil en un seul volume. Elle comprend non seulement les *Pensées* (classement Lafuma avec rappel du classement Brunschvicg), les *Provinciales* suivies des *Écrits pour les curés de Paris*, mais également les opuscules scientifiques, les *Écrits sur la grâce*, l'*Entretien avec M. de Saci*, et les lettres de Pascal qui ont été conservées.

Beaucoup plus sans doute que les célèbres oraisons funèbres, les sermons de Bossuet, son *Traité de la concupiscence*, les *Méditations sur les Évangiles* et les *Élévations sur les mystères* (particulièrement admirés par Claudel et Mauriac) gardent leur intérêt vivant. Mais on devra pratiquement les consulter en bibliothèque.

Pour les *Maximes* de La Rochefoucauld, *Phèdre*, *Dom Juan*, les *Fables* de La Fontaine, les *Caractères* de La Bruyère, les volumes de la collection Univers des Lettres Bordas donnent le texte intégral ainsi que les documents propres à les éclairer. Ils permettent parfaitement une étude approfondie.

Pascal

[LA CONCUPISCENCE]

Les dix-huit *Lettres provinciales* ne constituent pas les seuls écrits de Pascal sur la grâce et la morale. Pascal avait commencé une dix-neuvième lettre, qui devait être, bien entendu, comme les précédentes, clandestine. Mais, sa campagne ayant soulevé une bonne partie de l'opinion publique cultivée, il préfère dès qu'il le peut prêter sa plume à huit curés de la capitale, députés par les assemblées synodales, qui publient au grand jour, sous leur responsabilité, les *Écrits des curés de Paris*. Il rédige même un *Projet de mandement pour un évêque*. Et l'on trouvera dans ses papiers, à sa mort, quatre *Écrits sur la grâce* qui constituent selon M. Jean Mesnard « l'une des clés de toute l'œuvre de Pascal » ; ils exposent en particulier ses conceptions du mal et de la liberté humaine, très proches, malgré les apparences, de certaines conceptions modernes.

Adam, ayant péché et s'étant rendu digne de mort éternelle,
pour punition de sa rébellion,
Dieu l'a laissé dans l'amour de la créature.

Et sa volonté, laquelle auparavant n'était en aucune sorte attirée vers la créature par aucune concupiscence, s'est trouvée remplie de concupiscence, — que le Diable y a semée, et non pas Dieu.

La concupiscence s'est donc élevée dans ses membres et a chatouillé et délecté sa volonté dans le mal, et les ténèbres ont rempli son esprit de telle sorte que sa volonté, auparavant indifférente pour le bien et le mal, sans délectation ni chatouillement ni dans l'un ni dans l'autre, mais suivant, sans aucun appétit prévenant de sa part, ce qu'il connaissait de plus convenable à sa félicité, se trouve maintenant charmée par la concupiscence qui s'est élevée dans ses membres. Et son esprit très fort, très juste, très éclairé, est obscurci et dans l'ignorance.

Ce péché ayant passé d'Adam à toute sa postérité, qui fut corrompue en lui comme un fruit sortant d'une mauvaise semence, tous les hommes sortis d'Adam naissent dans l'ignorance, dans la concupiscence, coupables du péché d'Adam et dignes de la mort éternelle.

Le libre arbitre est demeuré flexible au bien et au mal ; mais avec cette différence, qu'au lieu qu'en Adam il n'avait aucun chatouillement au mal, et qu'il lui suffisait de connaître le bien pour s'y pouvoir porter, maintenant il a une suavité et une délectation si puissante dans le mal par la concupiscence qu'infailliblement il s'y porte de lui-même comme à son bien, et qu'il le choisit volontairement et très librement et avec joie comme l'objet où il sent sa béatitude.

Tous les hommes étant dans cette masse corrompue également dignes de la mort éternelle et de la colère de Dieu, Dieu pouvait avec justice les abandonner tous sans miséricorde à la damnation.

Et néanmoins il plaît à Dieu de choisir, élire et discerner de cette masse également corrompue, et où il ne voyait que de mauvais mérites, un nombre d'hommes de tout sexe, âges, conditions, complexions, de tous les pays, de tous les temps, et enfin de toutes sortes.

Que Dieu a discerné ses élus d'avec les autres par des raisons inconnues aux hommes et aux anges et par une pure miséricorde sans aucun mérite.

Que les élus de Dieu font une universalité, qui est tantôt appelée *monde* parce qu'ils sont répandus dans tout le monde, tantôt *tous*, parce qu'ils font une totalité, tantôt *plusieurs*, parce qu'ils sont plusieurs entre eux, tantôt *peu*, parce qu'ils sont peu à proportion de la totalité des délaissés.

Que les délaissés font une totalité qui est appelée *monde*, *tous* et *plusieurs*, et jamais *peu*.

Que Dieu, par une volonté absolue et irrévocable, a voulu sauver ses élus, par une bonté purement gratuite, et qu'il a abandonné les autres à leurs mauvais désirs où il pouvait avec justice abandonner tous les hommes.

Pour sauver ses élus, Dieu a envoyé Jésus-Christ pour satisfaire à sa justice, et pour mériter de sa miséricorde la grâce de Rédemption, la grâce médicinale, la grâce de Jésus-Christ, qui n'est autre chose qu'une suavité et une délectation dans la loi de Dieu, répandue dans le cœur par le Saint-Esprit, qui non seulement égalant, mais surpassant encore la concupiscence de la chair, remplit la volonté d'une plus grande délectation dans le bien, que la concupiscence ne lui en offre dans le mal, et qu'ainsi le libre arbitre, charmé par les douceurs et par les plaisirs que le Saint-Esprit lui inspire, plus que par les attraits du péché, choisit infailliblement lui-même la loi de Dieu par cette seule raison qu'il y trouve plus de satisfaction et qu'il y sent sa béatitude et sa félicité.

De sorte que ceux à qui il plaît à Dieu de donner cette grâce, se portent d'eux-mêmes par leur libre arbitre à préférer infailliblement Dieu à la créature. Et c'est pourquoi on dit indifféremment ou que le libre arbitre s'y porte de soi-même par le moyen de cette grâce, parce qu'en effet il s'y porte, ou que cette grâce y porte le libre arbitre, parce que toutes les fois qu'elle est donnée, le libre arbitre s'y porte infailliblement[1].

Et ceux à qui il plaît à Dieu de la donner jusqu'à la fin persévèrent infailliblement dans cette préférence, et ainsi choisissant jusqu'à la mort par leur propre volonté d'accomplir la loi plutôt que de la violer, parce qu'ils y sentent plus de satisfaction, ils méritent la gloire et par le secours de cette grâce qui a surmonté la concupiscence, et par leur propre choix et le mouvement de leur libre arbitre qui s'y est porté de soi-même volontairement et librement.

Et tous ceux à qui cette grâce n'est pas donnée, ou n'est pas donnée jusqu'à la fin, demeurent tellement chatouillés et charmés par leur concupiscence, qu'ils aiment mieux, infailliblement, pécher que ne pécher pas, par cette raison qu'ils y trouvent plus de satisfaction ;

Et ainsi, mourant en leurs péchés, méritent la mort éternelle, puisqu'ils ont choisi le mal par leur propre et libre volonté.

De sorte que les hommes sont sauvés ou damnés, suivant qu'il a plu à Dieu de les choisir pour leur donner cette grâce dans la masse corrompue des

---

1. « Car qu'y a-t-il de plus clair que cette proposition, que l'on fait toujours ce qui délecte le plus ? Puisque ce n'est autre chose que de dire que l'on fait toujours ce qui plaît le mieux, c'est-à-dire que l'on veut toujours ce qui plaît, c'est-à-dire qu'on veut toujours ce que l'on veut, et que dans l'état où est aujourd'hui notre âme réduite, il est inconcevable qu'elle veuille autre chose que ce qu'il lui plaît vouloir, c'est-à-dire ce qui la délecte le plus. Et qu'on ne prétende pas subtiliser en disant que la volonté, pour marquer sa puissance, choisira quelquefois ce qui lui plaît le moins ; car alors il lui plaira davantage de marquer sa puissance que de vouloir le bien qu'elle quitte, de sorte que, quand elle s'efforce de fuir ce qui lui plaît, ce n'est que pour faire ce qu'il lui plaît, étant impossible qu'elle veuille autre chose que ce qu'il lui plaît de vouloir. »

(Troisième écrit sur la grâce).

hommes, dans laquelle il pouvait avec justice les abandonner tous.

Tous les hommes étant également coupables de leur part, lorsque Dieu les a discernés.

(Deuxième Écrit sur la grâce).

DEUX MYSTÈRES INCOMPRÉHENSIBLES

(N'est-il donc pas clair comme le jour que la condition de l'homme est double ?) Car enfin si l'homme n'avait jamais été corrompu il jouirait dans son innocence et de la vérité et de la félicité avec assurance. Et si l'homme n'avait jamais été que corrompu il n'aurait aucune idée ni de la vérité, ni de la béatitude. Mais malheureux que nous sommes et plus que s'il n'y avait point de grandeur dans notre condition, nous avons une idée du bonheur et nous ne pouvons y arriver. Nous sentons une image de la vérité et ne possédons que le mensonge. Incapables d'ignorer absolument et de savoir certainement, tant il est manifeste que nous avons été dans un degré de perfection dont nous sommes malheureusement déchus.

Chose étonnante cependant que le mystère le plus éloigné de notre connaissance qui est celui de la transmission du péché soit une chose sans laquelle nous ne pouvons avoir aucune connaissance de nous-mêmes.

Car il est sans doute qu'il n'y a rien qui choque plus notre raison que de dire que le péché du premier homme ait rendu coupables ceux qui étant si éloignés de cette source semblent incapables d'y participer. Cet écoulement ne nous paraît pas seulement impossible. Il nous semble même très injuste car qu'y a(-t-)il de plus contraire aux règles de notre misérable justice que de damner éternellement un enfant incapable de volonté pour un péché où il paraît avoir si peu de part, qu'il est commis six mille ans avant qu'il fût en être. Certainement rien ne nous heurte plus rudement que cette doctrine. Et cependant sans ce mystère, le plus incompréhensible de tous, nous sommes incompréhensibles à nous-mêmes. Le nœud de notre condition prend ses replis et ses tours dans cet abîme. De sorte que l'homme est plus inconcevable sans ce mystère, que ce mystère n'est inconcevable à l'homme.

(*Pensées*, classement Brunschvicg, 434).

---

1. « Quoique Pascal fût la personne du monde la plus raide et la plus inflexible pour les dogmes de la grâce efficace, il disait néanmoins que s'il avait eu à traiter cette matière, il espérait de réussir à rendre cette doctrine si plausible, et de la dépouiller tellement d'un certain air farouche qu'on lui donne, qu'elle serait proportionnée au goût de toutes sortes d'esprits [...] Il m'a même dit quelquefois, que s'il eût disposé de son esprit et que ses maladies continuelles ne lui en eussent pas ravi l'usage, il n'aurait pu s'empêcher de s'y appliquer et d'essayer de rendre toutes ces matières si plausibles et si populaires que tout le monde y aurait entré sans peine ... »

Estimez-vous que Pascal, dans les extraits que vous venez de lire, a réussi dans cette tentative ? A-t-il rendu sa doctrine « proportionnée au goût » de votre esprit ? Si oui ou si non, pourquoi ?

2. Quelle est la conception de la liberté de Pascal, sa conception du bien et du mal ? A quelle expérience psychologique répondent-elles ? Cette expérience psychologique est-elle la vôtre ?

3. Vous comparerez ces conceptions :

a) à celles de Descartes : « Si je connaissais toujours clairement ce qui est vrai et ce qui est bon, je ne serais jamais en peine de délibérer quel jugement et quel choix je devrais faire ; et ainsi je serais entièrement libre sans jamais être indifférent » (4e *Méditation*) ;

b) à celle des rationalistes matérialistes :

Diderot : « Comme la grâce détermine le chrétien, ainsi la raison détermine le philosophe » ;

Engels : « La liberté de la volonté ne signifie donc pas autre chose que la faculté de décider en connaissance de cause. Donc plus le jugement d'un homme est libre sur une question déterminée, plus grande est la *nécessité* qui détermine la teneur de ce jugement... »

Quel est le plus libre en fait, celui qui dit : « je bois *autant de verres que je veux* » ou celui qui dit : « je sais les dangers de l'alcool ; *je ne peux pas* et je ne veux pas boire plus de

...

telle quantité » ? Quel est le plus libre de deux élèves à propos de la même phrase à traduire, celui qui se trompe et qui a le choix apparent entre des multitudes d'erreurs possibles, et celui qui, voyant juste, ne peut choisir qu'un seul sens, le bon ?

c) à celle de Sartre : « Nous ne nous saisissons jamais que comme choix en train de se faire. Mais la liberté est simplement le fait que ce choix est toujours inconditionné. Un pareil choix, fait sans point d'appui et qui se dicte à lui-même ses motifs, peut paraître absurde et il l'est en effet [...] Nous ne définissons l'homme que par rapport à un engagement. Il est donc absurde de nous reprocher la gratuité du choix [...] La liberté est perpétuel échappement à la contingence, intériorisation, néantisation et subjectivisation de la contingence qui, ainsi modifiée, passe tout entière dans la gratuité du choix. »

4. Pourquoi la nature humaine apparaît-elle à Pascal, sans le mystère du péché originel, comme absolument incompréhensible ?

D'autres penseurs chrétiens n'estiment pas que ce soit là la seule hypothèse concevable. Le Père Sertillanges, disciple de saint Thomas d'Aquin, va jusqu'à écrire : « N'était le récit biblique et son élaboration authentique dans l'Eglise, on n'y penserait même pas [...] C'est la justice originelle qui fait difficulté, ce n'est pas son absence [...] Les tares de l'homme comme être charnel, en dépit de ses aspirations comme esprit » pourraient s'expliquer « tout simplement » par « son niveau inférieur dans l'échelle des êtres, sans péché originel ».

Lamartine pour sa part, était incertain. Tantôt il affirmait, sans rigueur d'ailleurs dans les termes :
« L'homme est un dieu tombé qui se souvient des cieux » tantôt il hésitait, parfois même dans le cours de la même *Méditation* :

> « Soit que deshérité de son antique gloire,
> De son ancien état il garde la mémoire,
> Soit que de ses désirs l'immense profondeur
> Lui présage de loin sa future grandeur,
> Imparfait ou déchu, l'homme est le grand mystère ».

Quelles grandes catégories d'explications peuvent être données à votre avis ?

Les Jansénistes ne sont pas les seuls au XVII⁰ siècle à juger la nature humaine comme absolument corrompue par le péché originel et à tirer les conséquences les plus terribles du fait que la Grâce n'est pas donnée à tous.

Bossuet se réfère nommément à la même source que Pascal. « Le fidèle interprète du mystère de la Grâce, je veux dire le grand Augustin, m'apprend cette véritable et solide théologie, rappelle-t-il dans l'*Oraison funèbre d'Henriette d'Angleterre* : quelque cruelle que la mort vous paraisse, elle ne doit servir à cette fois que pour accomplir l'œuvre de la grâce, et sceller en cette princesse le conseil de son éternelle prédestination ». « Il n'y a rien de plus opposé que de vivre selon la nature et de vivre selon la Grâce[1] », dit-il encore. Et ceux qui n'ont pas reçu la Grâce ne peuvent être sauvés. A partir de cette certitude, le sort des enfants morts sans baptême, la « vengeance » de Dieu sur les Juifs lui inspirent des considérations qui troublent sa pitié certes, mais qui n'en seront pas moins, je crois, jugées aujourd'hui scandaleuses par tous, croyants et incroyants[2].

Bossuet

LES PETITS ENFANTS, SANS CONNAISSANCE ET SANS MOUVEMENT, RÉVOLTÉS CONTRE DIEU

L'Immaculée Conception de la Vierge, c'est-à-dire le fait que seule de toutes les créatures elle ait été conçue (le 8 décembre) et soit née (le 8 septembre) sans que son âme ou son corps aient été infectés par la tache (*macula*) du péché originel, n'a été proclamée comme vérité de foi, par l'Église catholique, qu'en 1854. Parmi les « grands personnages » évoqués par Bossuet comme n'étant pas enclins à y croire, le plus célèbre est saint Bernard.

Vous avez ouï, Chrétiens, les divers raisonnements par lesquels j'ai tâché de prouver que la conception de Marie est sans tache. Il y a déjà si longtemps que les plus grands théologiens de l'Eu-

---

1. Gide, dans son *Journal,* cite cette phrase et lui ajoute ce bref commentaire : « Tant pis ! »
2. « Je me rappelle avoir répondu à un prêtre qui, devant moi, condamnait à l'enfer toute l'humanité sans baptême que s'il disait vrai, que si c'était réellement la doctrine de l'Église, je renoncerais sur l'heure à la foi » (François Mauriac, *Ce que je crois,* p. 39).

rope travaillent sur ce sujet ! Vous savez combien la personne de la sainte Vierge est illustre, combien digne d'honneurs extraordinaires, combien elle doit être privilégiée. Et toutefois l'Église n'a pas encore osé décider si elle est exempte de ce péché. Plusieurs grands personnages ne l'ont pas cru ; il nous est défendu de les condamner. Jugez, jugez par là combien nécessaire, combien grande et inévitable doit être la corruption de notre nature, puisqu'on hésite si fort à en exempter celle de toutes les créatures qui est sans doute la plus éminente. O misère, ô calamité dans laquelle nous sommes plongés ! ô abîme de maux infinis ! Hélas ! petits enfants que nous étions, sans connaissance et sans mouvement, nous étions déjà révoltés contre Dieu. Nous n'avions pas vu encore cette belle lumière du jour : condamnés par la nature à une sombre prison, nous étions encore condamnés par arrêt de la justice divine à une prison plus noire, à de plus épaisses ténèbres, ténèbres horribles et infernales[1]. Justement, certes, justement : car tous vos jugements sont très justes, ô Dieu éternel, roi des siècles, souverain arbitre de l'univers !

[...] La fontaine d'eau vive, Fidèles, est ouverte à tous les hommes, je ne l'ignore pas ; personne n'en est exclu : Dieu a préparé à tous les pécheurs un remède dans les ondes du saint baptême. Mais combien en voyons-nous tous les jours à qui une mort trop précipitée[2] ravit pour jamais ce bonheur ! Et nous, nous y sommes parvenus ! Qu'avions-nous fait à Dieu ? Dans une même masse d'iniquité, d'où vient cette différence de grâces ? Peut-être devons-nous ce bienfait aux mérites de nos parents ? Mais combien de parents vertueux, je le dis avec douleur,

---

1. Il faut donner sa pleine valeur au mot : il s'agit bien des peines de l'enfer comme chez Pascal.

2. La mortalité infantile était encore extrêmement forte au XVIIe siècle en France et partout dans le monde. Sur 1 000 enfants nés vivants, plus de 250 périssaient de cette « mort trop précipitée », dont parle Bossuet, et souvent sans avoir été baptisés... Actuellement, la mortalité pour la première année de la vie, en France, est de 20 pour mille.

Le massacre des innocents.

(Heures de la Duchesse de Bourgogne, XVᵉ siècle. Musée Condé, Chantilly).

combien de parents vertueux n'ont pas obtenu cette miséricorde ! Dirons-nous que l'ordre des causes naturelles nous a été plus favorable qu'aux autres ? O ignorance, ô stupidité ! Et comment ne regarderons-nous pas la main toute-puissante qui remue ces causes comme il lui plaît ? Serait-ce pas un étrange aveuglement, si nous aimions mieux devoir notre salut à une rencontre fortuite des causes créées, qu'à un dessein prémédité de la miséricorde divine ?

Je frémis, Chrétiens, je l'avoue, dans cette discussion. Je ne sais que dire, je n'ai point de raison à vous alléguer. Seulement suis-je très assuré que, quelle que puisse être la cause d'une si étonnante diversité, il est impossible qu'elle ne soit juste. Cherche qui voudra des raisons, se travaille qui voudra à trouver les causes de ces secrets jugements : pour moi, je ne reconnais point d'autre cause de mon bonheur que la pure bonté de mon Dieu. Je chanterai à jamais ses miséricordes ; tant que je vivrai, je bénirai le nom du Seigneur. C'est tout ce que je sais ; c'est tout ce que je désire connaître. Ceux qui en veulent savoir davantage, qu'ils s'adressent à des personnes plus doctes ; mais qu'ils prennent bien garde que ce ne soient des présomptueux : *Cui responsio ista displicet, quærat doctiores ; sed caveat ne inveniat præsumptores.*[1]

(*Sermon pour le veille de la fête de la conception de la Vierge*, 7 décembre 1652).

LA VENGEANCE DE DIEU CONTRE LES JUIFS

Bossuet vient de faire une description impressionnante du siège de Jérusalem par Titus.

Ainsi Dieu a accoutumé de se venger de ses ennemis. Ils refusent de solides espérances, il les laisse séduire par mille folles prétentions. Ils s'obstinent

---

1. Bossuet a donné la traduction de ces deux phrases avant de les citer : « *Ceux qui en veulent savoir davantage,* etc. »

à ne vouloir point recevoir ses inspirations ; il leur pervertit le sens, il les abandonne à leurs conseils furieux. Ils s'endurcissent contre lui ; « le ciel après cela devient de fer sur leur tête : *Dabo vobis caelum desuper sicut ferrum* »[1] ; il ne leur envoie plus aucune influence de grâce.

Ce fut cet endurcissement qui fit opiniâtrer les juifs contre les Romains, contre la peste, contre la famine, contre Dieu qui leur faisait la guerre si ouvertement ; cet endurcissement, dis-je, les fit tellement opiniâtres, qu'après tant de désastres, il fallut encore prendre leur ville de force : ce qui fut le dernier trait de colère que Dieu lança sur cette cité. Si on eût composé, à la faveur de la capitulation beaucoup de juifs se seraient sauvés, Tite lui-même ne les voyait périr qu'à regret. Or il fallait à la justice divine un nombre infini de victimes, elle voulait voir onze cent mille hommes couchés sur la place, dans le siège d'une seule ville ; et après cela encore, poursuivant les restes de cette nation déloyale, il les a dispersés par toute la terre. Pour quelle raison ? — Comme les magistrats, après avoir fait rouer quelque[s] malfaiteur[s], ordonnent que l'on exposera en plusieurs endroits, sur les grands chemins, leurs membres écartelés, pour faire frayeur aux autres scélérats... Cette comparaison vous fait horreur : tant y a que Dieu s'est comporté à peu près de même. Après avoir exécuté sur les juifs l'arrêt de mort que leurs propres prophètes leur avaient, il y avait si longtemps, prononcé, il les a épandus çà et là parmi le monde, portant de toutes [parts] imprimée sur eux la marque de sa vengeance ; peuple monstrueux, qui n'a ni feu ni lieu, sans pays, et de tout pays ; autrefois le plus heureux du monde, maintenant la fable et la haine de tout le monde ; misérable, sans être plaint de qui que ce soit ; devenu, dans sa misère, par une certaine malédiction, la risée des plus modérés. Ne croyez pas toutefois que ce soit mon

---

1. Lévitique, **XXVI**, 19. Bossuet donne le sens de la phrase avant de la citer.

intention d'insulter à leurs infortunes : non ; à Dieu ne plaise que j'oublie jusques à ce point la gravité de cette chaire ! mais j'ai cru que, mon évangile nous ayant présenté cet exemple, le Fils de Dieu nous invitait à y faire quelques réflexions. [...] Vous croirez peut-être que la chose est trop éloignée de notre âge pour nous émouvoir ; mais, certes, ce nous serait une trop folle pensée de ne craindre pas, parce que nous ne voyons pas toujours à nos yeux quelqu'un frappé de la foudre. Vous devriez considérer que Dieu ne se venge pas moins, encore que souvent il ne veuille pas que sa main paraisse. Quand il fait éclater sa vengeance, ce n'est pas pour la faire plus grande : c'est pour la rendre exemplaire ; et un exemple de cette sorte, si public, si indubitable, doit servir de mémorial ès siècles des siècles. Car enfin, si Dieu en ce temps-là haïssait le péché, il n'a pas commencé à lui plaire depuis : outre que nous serions bien insensés d'oublier la tempête qui a submergé les Juifs, puisque nous voyons à nos yeux des restes de leur naufrage, que Dieu a jetés, pour ainsi dire, à nos portes[1]. Et ce n'est pas pour autre raison que Dieu conserve les juifs ; c'est afin de faire durer l'exemple de sa vengeance. Enfin il est bien étrange que nous aimions mieux nous-mêmes peut-être servir d'exemple que de faire profit de celui des autres. La main de Dieu est sur nous trop visiblement pour ne le pas reconnaître ; et il est temps désormais que nous prévenions sa juste fureur par la pénitence.

(*Sermon du IVe dimanche après la Pentecôte, Sur la bonté et la rigueur de Dieu envers les pécheurs*, prêché à Metz le 21 juillet 1652).

Encore en 1890, à propos de la phrase : « Il fallait à la justice divine un nombre infini de victimes, elle voulait voir onze cent mille hommes couchés sur la place dans le siège d'une seule ville », l'édition Lebarq, Urbain, Levesque ose écrire

. . .

1. « A nos yeux, à nos portes » ; allusion directe aux juifs qui habitaient Metz (note de l'éditeur Gondar).

la phrase suivante : « Laissons se scandaliser ceux qui oublient le déicide ». Pendant des siècles il a été considéré comme normal que Dieu se venge sur *tous* les juifs, de génération en génération, de ceux qui avaient crié, selon les Évangiles, en demandant la mort du Christ : « Que son sang retombe sur nous et sur nos enfants »... Rappelons que le Christ enseigne à rendre le bien pour le mal.

Pascal affirme pour sa part : « C'est une chose étonnante et digne d'une étrange attention, de voir ce peuple juif subsister depuis tant d'années, et de le voir toujours misérable : étant nécessaire pour la preuve de Jésus-Christ et qu'il subsiste pour le prouver, et qu'il soit misérable, puisqu'ils l'ont crucifié : et, quoiqu'il soit contraire d'être misérable et de subsister, il subsiste néanmoins toujours, malgré sa misère [...] C'est visiblement un peuple fait exprès pour servir de témoin au Messie (*Isaïe* 43, 9, 44,8). Il porte les livres et les aime, et ne les entend point. Et tout cela est prédit ; que les jugements de Dieu leur sont confiés, mais comme un livre scellé ». (*Pensées*, classement Brunschvicg, nos 640 & 641).

De tels enseignements, répétés pendant des centaines d'années, ayant incontestablement favorisé un antisémitisme que les nazis ont porté, en notre siècle, aux monstruosités que l'on connaît, le concile Vatican II a proclamé le 28 octobre 1965 par 221 voix contre 88 le texte suivant :

« Du fait d'un si grand patrimoine spirituel, commun aux chrétiens et aux juifs, le concile veut encourager et recommander entre eux la connaissance et l'estime mutuelles, qui naîtront surtout d'études bibliques et théologiques, ainsi que d'un dialogue fraternel.

Encore que des autorités juives, avec leurs partisans, aient poussé à la mort du Christ, ce qui a été commis durant sa passion ne peut être imputé ni indistinctement à tous les juifs vivant alors, ni aux juifs de notre temps. S'il est vrai que l'Église est le nouveau peuple de Dieu, les juifs ne doivent pas, pour autant, être présentés comme réprouvés par Dieu ni maudits, comme si cela découlait de la sainte Écriture. Que tous donc aient soin, dans la catéchèse et la prédication de la parole de Dieu, de n'enseigner quoi que ce soit qui ne soit conforme à la vérité de l'Évangile et à l'esprit du Christ.

En outre l'Église, qui réprouve toutes les persécutions contre tous les hommes, quels qu'ils soient, ne pouvant oublier le patrimoine qu'elle a en commun avec les juifs, et poussée, non pas par des motifs politiques, mais par la charité religieuse de l'Évangile, déplore les haines, les persécutions et toutes les manifestations d'antisémitisme, qui, quels que soient leur époque et leurs auteurs, ont été dirigées contre les juifs. (Traduction du « Secrétariat pour l'unité des chrétiens ».

On lira avec intérêt sur ces questions les ouvrages du fondateur de l'Amitié judéo-chrétienne, Jules Isaac : *Jésus et Israël*, *Combat pour la vérité* (Hachette), *Genèse de l'antisémitisme* (Calmann-Lévy), — ainsi que les textes de Jacques Maritain réunis dans *Le mystère d'Israël* (Desclée). Voir également, pp. 245 et 246, les citations de Jaspers et de Freud.

La Rochefoucauld

« NOS VERTUS NE SONT LE PLUS SOUVENT QUE DES VICES DÉGUISÉS »[1]

Pour La Rochefoucauld aussi, « le mal est en nous », — mais nous ne voulons pas le voir. Notre amour-propre est d'une habileté merveilleuse non seulement à le voiler, mais à le retourner en mérite, en qualités séduisantes, en vertus... En réalité, nous ne suivons que notre intérêt. De par notre corruption même « il y a toujours en nous, dit Nicole, un certain fond et une certaine racine qui nous demeurent inconnus et impénétrables toute notre vie ». La Rochefoucauld, sous la forme percutante de la maxime, essaie de nous aider à voir un peu plus clair dans cette « obscurité épaisse qui nous cache à nous-mêmes ».

Avis au lecteur — (*Première édition*). Le meilleur parti que le lecteur ait à prendre est de se mettre d'abord dans l'esprit qu'il n'y a aucune de ces *Maximes* qui le regarde en particulier, et qu'il en est seul excepté, bien qu'elles paraissent générales ; après cela je lui réponds qu'il sera le premier à y souscrire, et qu'il croira qu'elles font encore grâce au genre humain.

Le Libraire[2] *au Lecteur* (*Cinquième édition*). Je me contenterai de vous avertir de deux choses : l'une, que par le mot d'*intérêt* on n'entend pas toujours un intérêt de bien, mais le plus souvent un intérêt d'honneur ou de gloire ; et l'autre (qui est comme le fondement de toutes ces *Réflexions*), que celui qui les a faites n'a considéré les hommes que dans cet état déplorable de la nature corrompue par le péché, et qu'ainsi la manière dont il parle de ce nombre

---

1. La Rochefoucauld a mis cette phrase en épigraphe à la IV° édition de ses *Maximes*.
2. En réalité, il s'agit encore d'un avis de La Rochefoucauld.

infini de défauts qui se rencontrent dans leurs vertus apparentes, ne regarde point ceux que Dieu en préserve par une grâce particulière.

MAXIMES

1. Ce que nous prenons pour des vertus n'est souvent qu'un assemblage de diverses actions et de divers intérêts que la fortune ou notre industrie savent arranger, et ce n'est pas toujours par valeur et par chasteté que les hommes sont vaillants et que les femmes sont chastes.

12. Quelque soin que l'on prenne de couvrir ses passions par des apparences de piété et d'honneur, elles paraissent toujours au travers de ces voiles.

19. Nous avons tous assez de force pour supporter les maux d'autrui.

22. La philosophie triomphe aisément des maux passés et des maux à venir, mais les maux présents triomphent d'elle.

51. Rien ne doit tant diminuer la satisfaction que nous avons de nous-mêmes que de voir que nous désapprouvons dans un temps ce que nous approuvions dans un autre.

78. L'amour de la justice n'est, en la plupart des hommes, que la crainte de souffrir l'injustice.

83. Ce que les hommes ont nommé amitié n'est qu'une société, qu'un ménagement réciproque d'intérêts et qu'un échange de bons offices ; ce n'est enfin qu'un commerce où l'amour-propre se propose toujours quelque chose à gagner.

110. On ne donne rien si libéralement que ses conseils.

121. On fait souvent du bien pour pouvoir impunément faire du mal.

122. Si nous résistons à nos passions, c'est plus par leur faiblesse que par notre force.

138. On aime mieux dire du mal de soi-même que de n'en point parler.

171. Les vertus se perdent dans l'intérêt comme les fleuves se perdent dans la mer.

180. Notre repentir n'est pas tant un regret du mal que nous avons fait, qu'une crainte de celui qui nous en peut arriver.

182. Les vices entrent dans la composition des vertus comme les poisons entrent dans la composition des remèdes : la prudence les assemble et les tempère, et elle s'en sert utilement contre les maux de la vie.

184. Nous avouons nos défauts, pour réparer par notre sincérité le tort qu'ils nous font dans l'esprit des autres.

195. Ce qui nous empêche souvent de nous abandonner à un seul vice est que nous en avons plusieurs.

200. La vertu n'irait pas si loin si la vanité ne lui tenait compagnie.

230. Rien n'est si contagieux que l'exemple, et nous ne faisons jamais de grands biens ni de grands maux qui n'en produisent de semblables. Nous imitons les bonnes actions par émulation, et les mauvaises par la malignité de notre nature, que la honte retenait prisonnière, et que l'exemple met en liberté.

301. Assez de gens méprisent le bien, mais peu savent le donner.

388. Si la vanité ne renverse pas entièrement les vertus, du moins elle les ébranle toutes.

397. Nous n'avons pas le courage de dire, en général, que nous n'avons point de défauts, et que nos ennemis n'ont point de bonnes qualités ; mais, en détail, nous ne sommes pas trop éloignés de le croire.

409. Nous aurions souvent honte de nos plus belles actions, si le monde voyait tous les motifs qui les produisent.

442. Nous essayons de nous faire honneur des défauts que nous ne voulons pas corriger.

462. Le même orgueil qui nous fait blâmer les défauts dont nous croyons être exempts nous porte à mépriser les bonnes qualités que nous n'avons pas.

478. L'imagination ne saurait inventer tant de diverses contrariétés qu'il y en a naturellement dans le cœur de chaque personne.

517. Ce qui nous empêche souvent de bien juger des sentences qui prouvent la fausseté des vertus, c'est que nous croyons trop aisément qu'elles sont véritables en nous.

526. On blâme aisément les défauts des autres, mais on s'en sert rarement à corriger les siens.

583. Dans l'adversité de nos meilleurs amis, nous trouvons toujours quelque chose qui ne nous déplaît pas.

« Jansénisme rebouilli », disait des *Maximes* Mme de Sévigné. La Rochefoucauld excelle à dépister dans toutes nos attitudes les moindres traces d'amour de soi, et il incline à penser bien entendu que l'amour de soi est toujours mauvais. Mais pourquoi l'orgueil de nous-même ne pourrait-il être le ferment de notre grandeur ? Pourquoi notre intérêt, bien compris, ne serait-il pas capable de nous rendre meilleur, plus sociable, plus heureux ?

« La plupart de ceux qui se flattent d'être connaisseurs du cœur humain ne séparent point la clairvoyance dont ils se piquent d'une disposition défavorable à l'égard des hommes, estime Paul Valéry. Ils ont la lèvre amère ou ironique. Rien, il est vrai, ne donne l'air " psychologue " comme l'attitude habituelle de " déprécier ". Voir clair c'est voir noir, selon cette convention parfois commode... Que deviendraient les hommes d'esprit sans le péché originel ? »

« L'amour de soi est une très grande chose, nous dit Alain, — si seulement l'on aime comme elle le mérite la partie noble de soi... Je conseille à tout homme de s'aimer lui-même. »

...

Cl. Agnès Varda

Phèdre, interprétée par Maria Casarès au T.N.P. en 1957.

1. Vous étudierez à la lumière de votre expérience et de vos lectures chacune des maximes citées, et vous essaierez ensuite de donner votre avis, motivé, sur les appréciations de Paul Valéry et d'Alain.

2. L'« avis au lecteur » placé par La Rochefoucauld en tête de la 1ʳᵉ édition est visiblement très ironique. Que pensez-vous de celui de la Vᵉ édition, attribué au « libraire » mais qui est aussi, en réalité, de la plume de La Rochefoucauld ?

Racine

LA VOLONTÉ IMPUISSANTE

Phèdre est sans doute dans notre littérature comme dans la littérature grecque et la littérature latine l'exemple le plus vrai, le plus beau, le plus émouvant d'un personnage *victime du mal*. Amoureuse passionnée, non seulement contre son devoir mais contre toute espérance, de son beau-fils, elle a résisté à cette passion de toutes ses forces ; elle n'a pas dit un mot, elle a éloigné Hippolyte, elle a essayé de se faire haïr de lui. En vain. Le mal est en elle. Une hérédité terrible[1], sa chair en feu, la solitude, l'abandon où elle est laissée par son mari, sa soif de tendresse, la crainte qu'elle peut avoir, à juste titre, qu'Hippolyte ne se venge d'elle sur son fils, tout va la conduire, invinciblement, à faire malgré elle ce que veut malgré elle sa concupiscence, — à se déclarer à Hippolyte :

Ah ! cruel, tu m'as trop entendue.
Je t'en ai dit assez pour te tirer d'erreur.
Hé bien ! connais donc Phèdre et toute sa fureur
J'aime. Ne pense pas qu'au moment que je t'aime,
Innocente à mes yeux, je m'approuve moi-même ;
Ni que du fol amour qui trouble ma raison

---

1. « O haine de Vénus ! O fatale colère !
Dans quels égarements l'amour jeta ma mère !
. . . .
La fille de Minos et de Pasiphaé ».

Ma lâche complaisance ait nourri le poison.
Objet infortuné des vengeances célestes,
Je m'abhorre encor plus que tu ne me détestes.
Les Dieux m'en sont témoins, ces Dieux qui dans mon
                                                    [flanc
Ont allumé le feu fatal à tout mon sang ;
Ces Dieux qui se sont fait une gloire cruelle
De séduire le cœur d'une pauvre mortelle.
Toi-même en ton esprit rappelle le passé.
C'est peu de t'avoir fui, cruel, je t'ai chassé.
J'ai voulu te paraître odieuse, inhumaine.
Pour mieux te résister, j'ai recherché ta haine.
De quoi m'ont profité mes inutiles soins ?
Tu me haïssais plus, je ne t'aimais pas moins.
Tes malheurs te prêtaient encor de nouveaux charmes.
J'ai langui, j'ai séché, dans les feux, dans les larmes.
Il suffit de tes yeux pour t'en persuader,
Si tes yeux un moment pouvaient me regarder.
Que dis-je ? Cet aveu que je te viens de faire,
Cet aveu si honteux, le crois-tu volontaire ?
Tremblante pour un fils que je n'osais trahir,
Je te venais prier de ne le point haïr.
Faibles projets d'un cœur trop plein de ce qu'il aime !
Hélas ! je ne t'ai pu parler que de toi-même.
Venge-toi, punis-moi d'un odieux amour.
Digne fils du héros qui t'a donné le jour,
Délivre l'univers d'un monstre qui t'irrite.
La veuve de Thésée ose aimer Hippolyte !
Crois-moi, ce monstre affreux ne doit point t'échapper.
Voilà mon cœur. C'est là que ta main doit frapper.
Impatient déjà d'expier son offense,
Au devant de ton bras je le sens qui s'avance.
Frappe. Ou si tu le crois indigne de tes coups,
Si ta haine m'envie un supplice si doux,
Ou si d'un sang trop vil ta main serait trempée,
Au défaut de ton bras prête-moi ton épée.
Donne.

                              (*Phèdre* II, 5).

De même, au IVᵉ acte, Phèdre, accourue devant son mari pour disculper Hippolyte de l'accusation terrible qu'elle a laissé porter par Œnone, va faire, exactement, le contraire de ce qu'elle voulait faire. A l'annonce qu'Hippolyte aime Aricie, littéralement *la voix lui est coupée*, dit Racine, la jalousie la submerge, elle ne détrompe pas Thésée, elle abandonne Hippolyte à son destin.

Thésée sort

PHÈDRE, *seule*

Il sort. Quelle nouvelle a frappé mon oreille ?
Quel feu mal étouffé dans mon cœur se réveille ?
Quel coup de foudre, ô Ciel ! et quel funeste avis !
Je volais toute entière au secours de son fils ;
Et m'arrachant des bras d'Œnone épouvantée,
Je cédais au remords dont j'étais tourmentée.
Qui sait même où m'allait porter ce repentir ?
Peut-être à m'accuser j'aurais pu consentir ;
Peut-être, si la voix ne m'eût été coupée,
L'affreuse vérité me serait échappée.
Hippolyte est sensible, et ne sent rien pour moi !
Aricie a son cœur ! Aricie a sa foi !
Ah, Dieux ! Lorsqu'à mes vœux l'ingrat inexorable
S'armait d'un œil si fier, d'un front si redoutable,
Je pensais qu'à l'amour son cœur toujours fermé
Fût contre tout mon sexe également armé.
Une autre cependant a fléchi son audace ;
Devant ses yeux cruels une autre a trouvé grâce.
Peut-être a-t-il un cœur facile à s'attendrir.
Je suis le seul objet qu'il ne saurait souffrir ;
Et je me chargerais du soin de le défendre ?

Œnone entre

Chère Œnone, sais-tu ce que je viens d'apprendre ?

ŒNONE

Non ; mais je viens tremblante, à ne vous point
[mentir.
J'ai pâli du dessein qui vous a fait sortir :
J'ai craint une fureur à vous-même fatale.

PHÈDRE

Œnone, qui l'eût cru ? j'avais une rivale.

ŒNONE

Comment ?

PHÈDRE

      Hippolyte aime, et je n'en puis douter.
Ce farouche ennemi qu'on ne pouvait dompter,
Qu'offensait le respect, qu'importunait la plainte,
Ce tigre, que jamais je n'abordai sans crainte,
Soumis, apprivoisé, reconnaît un vainqueur :
Aricie a trouvé le chemin de son cœur.

ŒNONE

Aricie ?

PHÈDRE

      Ah ! douleur non encore éprouvée !
A quel nouveau tourment je me suis réservée !
Tout ce que j'ai souffert, mes craintes, mes transports,
La fureur de mes feux, l'horreur de mes remords,
Et d'un refus cruel l'insupportable injure
N'était qu'un faible essai du tourment que j'endure.
Ils s'aiment ! Par quel charme ont-ils trompé mes
                      [yeux ?
Comment se sont-ils vus ? Depuis quand ? Dans quels
                      [lieux ?
Tu le savais. Pourquoi me laissais-tu séduire ?
De leur furtive ardeur ne pouvais-tu m'instruire ?
Les a-t-on vus souvent se parler, se chercher ?
Dans le fond des forêts allaient-ils se cacher ?
Hélas ! ils se voyaient avec pleine licence.
Le Ciel de leurs soupirs approuvait l'innocence ;
Ils suivaient sans remords leur penchant amoureux ;
Tous les jours se levaient clairs et sereins pour eux.
Et moi, triste rebut de la nature entière.
Je me cachais au jour, je fuyais la lumière ;
La mort est le seul Dieu que j'osais implorer.
J'attendais le moment où j'allais expirer ;
Me nourrissant de fiel, de larmes abreuvée,
Encor dans mon malheur de trop près observée,

Je n'osais dans mes pleurs me noyer à loisir :
Je goûtais en tremblant ce funeste plaisir ;
Et sous un front serein déguisant mes alarmes,
Il fallait bien souvent me priver de mes larmes.

ŒNONE

Quel fruit recevront-ils de leurs vaines amours ?
Ils ne se verront plus.

PHÈDRE

        Ils s'aimeront toujours.
Au moment que je parle, ah ! mortelle pensée !
Ils bravent la fureur d'une amante insensée.
Malgré ce même exil qui va les écarter.
Ils font mille serments de ne se point quitter.
Non, je ne puis souffrir un bonheur qui m'outrage,
Œnone. Prends pitié de ma jalouse rage.
Il faut perdre Aricie. Il faut de mon époux
Contre un sang odieux réveiller le courroux.
Qu'il ne se borne pas à des peines légères :
Le crime de la sœur passe celui des frères.
Dans mes jaloux transports je le veux implorer.
Que fais-je ? Où ma raison se va-t-elle égarer ?
Moi jalouse ! et Thésée est celui que j'implore !
Mon époux est vivant, et moi je brûle encore !
Pour qui ? Quel est le cœur où prétendent mes vœux ?
Chaque mot sur mon front fait dresser mes cheveux.
Mes crimes désormais ont comblé la mesure.
Je respire à la fois l'inceste et l'imposture.
Mes homicides mains, promptes à me venger,
Dans le sang innocent brûlent de se plonger.
Misérable ! et je vis ?

        (*Phèdre*, IV, 5 et 6).

Victime de Vénus ou créature à qui Dieu refuse sa
grâce, Phèdre est vouée au crime, au malheur total.
C'est une « femme damnée ». Mais Racine, au contraire de ses maîtres jansénistes, ne nous la fait ni
mépriser ni haïr, il nous inspire pour elle une très
profonde pitié.

Le thème du mal

● HARMONIE OU DÉSORDRE ?

La Fontaine

LE GLAND ET LA CITROUILLE

> Des anecdotes semblables à celle qui nous est
> contée ici par La Fontaine illustraient au XVIIᵉ siècle
> bien des sermons et dialogues sérieux, mais aussi
> certaines parades de foire, par exemple les *Rencon-*
> *tres, fantaisies et coq-à-l'âne facétieux du baron de*
> *Grattelard de Tabarin tenant sa classe au bout du*
> *Pont-Neuf* : 7ᵉ question... *Si Dieu a fait quelque*
> *chose de mauvais.*

> Plus qu'au problème lui-même d'ailleurs, La Fon-
> taine nous paraît s'intéresser surtout au personnage
> de Garo [1], beau parleur de village, disert et content
> de soi, dont les opinions varient du tout au tout sui-
> vant le hasard de ses petites expériences personnelles.

Dieu fait bien ce qu'il fait. Sans en chercher la preuve
En tout cet univers, et l'aller parcourant,
    Dans les citrouilles je la treuve.

    Un villageois, considérant
Combien ce fruit est gros et sa tige menue :
« A quoi songeait, dit-il, l'auteur de tout cela ?
Il a bien mal placé cette citrouille-là !
    Hé parbleu ! je l'aurais pendue
    A l'un des chênes que voilà.
    C'eût été justement l'affaire ;
    Tel fruit, tel arbre, pour bien faire.
C'est dommage, Garo, que tu n'es point entré
Au conseil de celui que prêche ton curé :
Tout en eût été mieux ; car pourquoi, par exemple,

---

1. La Fontaine a repris ici, en le modifiant, le nom du Thibau
Garreau de nos anciens proverbes, et celui du Matthieu Garreau de
Cyrano de Bergerac.

72

Le gland, qui n'est pas gros comme mon petit doigt,
    Ne pend-il pas en cet endroit ?
    Dieu s'est mépris : plus je contemple
Ces fruits ainsi placés, plus il semble à Garo
    Que l'on a fait un quiproquo. »
Cette réflexion embarrassant notre homme :
« On ne dort point, dit-il, quand on a tant d'esprit. »
Sous un chêne aussitôt il va prendre son somme.
Un gland tombe : le nez du dormeur en pâtit.
Il s'éveille ; et, portant la main sur son visage,
Il trouve encor le gland pris au poil du menton.
Son nez meurtri le force à changer de langage.
« Oh ! oh ! dit-il, je saigne ! Et que serait-ce donc
S'il fût tombé de l'arbre une masse plus lourde,
    Et que ce gland eût été gourde ?
Dieu ne l'a pas voulu : sans doute il eut raison ;
    J'en vois bien à présent la cause. »
    En louant Dieu de toute chose,
    Garo retourne à la maison.

                (*Fables*, IX, 5).

La Bruyère

« UNE CERTAINE INÉGALITÉ ENTRE LES CONDITIONS »

On connaît le tableau terrible que La Bruyère donne dans *Les caractères* de la misère des paysans français au XVIIᵉ siècle... On connaît moins l'opinion du moraliste sur l'inégalité, nécessaire à ses yeux, des conditions sociales, — à condition qu'elle ne soit pas trop grande.

L'on voit certains animaux farouches, des mâles et des femelles, répandus par la campagne, noirs, livides et tout brûlés du soleil, attachés à la terre qu'ils fouillent et qu'ils remuent avec une opiniâtreté invincible ; ils ont comme une voix articulée, et, quand ils se lèvent sur leurs pieds, ils montrent une face humaine, et en effet ils sont des hommes. Ils se retirent la nuit dans des tanières, où ils vivent de pain noir, d'eau et de racines ; ils épargent aux autres hommes la peine de semer, de labourer et de recueillir pour vivre, et méritent ainsi de ne pas manquer de ce pain qu'ils ont semé.

(*Les caractères*, XI, De l'homme, 128).

Si vous faites cette supposition que tous les hommes qui peuplent la terre. sans exception, soient chacun dans l'abondance et que rien ne leur manque, j'infère de là que nul homme qui est sur la terre n'est dans l'abondance et que tout lui manque. [...]. Si tous sont riches, qui cultivera les terres et qui fouillera les mines ? [...]. Qui mettra des vaisseaux en mer ? qui se chargera de les conduire ? Qui entreprendra des caravanes ? On manquera alors du nécessaire et des choses utiles. S'il n'y a plus de besoins, il n'y a plus d'arts, plus de sciences, plus d'invention, plus de mécanique. D'ailleurs cette égalité de possessions et de richesses en établit une autre dans les conditions, bannit toute subordination, réduit les hommes à se servir eux-mêmes, et à ne pouvoir être secourus les uns des autres, rend les lois frivoles et inutiles, entraîne une anarchie universelle, attire la violence, les injures, les massacres, l'impunité.

Si vous supposez au contraire que tous les hommes sont pauvres, en vain le soleil se lève pour eux sur l'horizon, en vain il échauffe la terre et la rend féconde, en vain le ciel verse sur elle ses influences, les fleuves en vain l'arrosent et répandent dans les diverses contrées la fertilité et l'abondance ; inutilement aussi la mer laisse sonder ses abîmes profonds, les rochers et les montagnes s'ouvrent pour laisser fouiller dans leur sein et en tirer tous les trésors qu'ils y renferment.

Mais si vous établissez que de tous les hommes répandus dans le monde les uns soient riches et les autres pauvres et indigents, vous faites alors que le besoin rapproche mutuellement les hommes, les lie, les réconcilie ; ceux-ci servent, obéissent, inventent, travaillent, cultivent, perfectionnent ; ceux-là jouissent, nourrissent, secourent, protègent, gouvernent : tout ordre est rétabli et Dieu se découvre.

Mettez l'autorité, les plaisirs et l'oisiveté d'un côté, la dépendance, les soins et la misère de l'autre ; ou ces choses sont déplacées par la malice des hommes, ou Dieu n'est pas Dieu.

Une certaine inégalité dans les conditions, qui entretient l'ordre et la subordination, est l'ouvrage de Dieu ou suppose une loi divine ; une trop grande disproportion, et telle qu'elle se remarque parmi les hommes, est leur ouvrage ou la loi des plus forts.

Les extrémités sont vicieuses et partent de l'homme : toute compensation est juste et vient de Dieu.

(*Les caractères*, XVI, Des esprits forts, 48 et 49).

Molière

LA GRANDEUR ET LE MAL

Fin 1664. Molière vient d'achever son premier *Tartuffe*, la pièce à laquelle il tient le plus, mais il n'a pu obtenir la levée de l'interdiction portée par l'archevêque de Paris : les représentations publiques demeurent impossibles. Il est obligé de reprendre quelques succès anciens pour faire vivre son théâtre.

Molière ne cède pas. En quelques semaines, arrangeant à sa façon un sujet à la mode, il attaque de nouveau l'hypocrisie de front, il exprime toutes ses pensées plus fortement et plus librement qu'il ne l'a jamais fait, il écrit *Dom Juan*.

La pièce triomphe, mais dès le lendemain de la première, la scène que nous citons ci-dessous est supprimée. Nous ne la connaissons, presque par hasard que par une édition étrangère, imprimée à Amsterdam en 1684.

Molière ne nous cache aucun des vices de Dom Juan. Son « grand seigneur méchant homme » est bien en effet un homme méchant : hautain, méprisant, débauché, d'un égoïsme total, cynique avec ses créanciers comme avec les belles, pervers, cruel même. Son attitude ici, envers le pauvre, est odieuse. Mais c'est lui pourtant, de façon indiscutable, le héros de la pièce. Son intelligence, son courage inébranlable dans ses convictions s'imposent à tout spectateur, et Molière ne pouvait guère nous indiquer avec plus de force, par les saillies comiques de Sganarelle après l'embrasement final, que c'est Dom Juan qui avait raison : l'apparition du Commandeur n'était qu'une machine de théâtre, le Ciel ne s'est manifesté que pour rire. Dom Juan revient saluer sur le plateau.

SGANARELLE

Holà, oh ! l'homme, oh ! mon compère, oh ! l'ami, un petit mot, s'il vous plaît. Enseignez-nous un peu le chemin qui mène à la ville.

LE PAUVRE

Vous n'avez qu'à suivre cette route, Messieurs, et détourner à main droite quand vous serez au bout de la forêt. Mais je vous donne avis que vous devez vous tenir sur vos gardes, et que depuis quelque temps il y a des voleurs ici autour.

DOM JUAN

Je te suis bien obligé, mon ami, et je te rends grâce de tout mon cœur.

LE PAUVRE

Si vous vouliez, Monsieur, me secourir de quelque aumône ?

DOM JUAN

Ah ! ah ! ton avis est intéressé, à ce que je vois.

LE PAUVRE

Je suis un pauvre homme, Monsieur, retiré tout

Dom Juan interprété par Louis Jouvet au théâtre de l'Athénée.

seul dans ce bois depuis dix ans, et je ne manquerai pas de prier le Ciel qu'il vous donne toute sorte de biens.

DOM JUAN

Eh ! prie-le qu'il te donne un habit, sans te mettre en peine des affaires des autres.

SGANARELLE

Vous ne connaissez pas Monsieur, bonhomme ; il ne croit qu'en deux et deux sont quatre et en quatre et quatre sont huit.

DOM JUAN

Quelle est ton occupation parmi ces arbres ?

LE PAUVRE

De prier le Ciel tout le jour pour la prospérité des gens de bien qui me donnent quelque chose.

DOM JUAN

Il ne se peut donc pas que tu ne sois bien à ton aise ?

LE PAUVRE

Hélas ! Monsieur, je suis dans la plus grande nécessité du monde.

DOM JUAN

Tu te moques : un homme qui prie le Ciel tout le jour ne peut pas manquer d'être bien dans ses affaires.

LE PAUVRE

Je vous assure, Monsieur, que le plus souvent je n'ai pas un morceau de pain à me mettre sous les dents.

DOM JUAN

[Voilà qui est étrange, et tu es bien mal reconnu de tes soins. Ah ! ah !] je m'en vais te donner un louis d'or tout à l'heure, pourvu que tu veuilles jurer.

LE PAUVRE

Ah ! Monsieur, voudriez-vous que je commisse un tel péché ?

DOM JUAN

Tu n'a qu'à voir si tu veux gagner un louis d'or ou non. En voici un que je te donne, si tu jures ; tiens, il faut jurer.

LE PAUVRE

Monsieur !

DOM JUAN

A moins de cela, tu ne l'auras pas.

SGANARELLE

Va, va, jure un peu, il n'y a pas de mal.

DOM JUAN

Prends, le voilà ; prends, te dis-je, mais jure donc.

LE PAUVRE

Non, Monsieur, j'aime mieux mourir de faim.

DOM JUAN

Va, va, je te le donne pour l'amour de l'humanité. Mais que vois-je là, un homme attaqué par trois autres ? La partie est trop inégale, et je ne dois pas souffrir cette lâcheté.

(*Dom Juan*, acte III, scène 2).

CHAPITRE III

LE XVIIIᵉ SIÈCLE

● LA RAISON EN FACE DU MAL

Bayle

LES DOULEURS INUTILES

Comme les « petites lettres » de Pascal, la *Réponse aux questions d'un provincial*, de Bayle, expose devant tous les grands problèmes réservés autrefois aux seules cogitations des doctes. Elles le font sans génie, mais avec une passion de la recherche, un plaisir critique qui se communiquent au lecteur. Et, sous couleur d'informer son correspondant lointain sur tout ce qui se dit et s'imprime dans les capitales, Bayle rapporte volontiers ses propres raisonnements.

... Il y a bien des douleurs dont on ne saurait marquer les utilités. A quoi servent, je vous prie, les douleurs qui font mourir tant de gens ? Les douleurs d'un homme mortellement malade, à quoi servent-elles ? Est-ce qu'elles l'obligent à faire venir les médecins ? Mais assez souvent c'est à son dam, et pour le moins faut-il contester que les douleurs de la goutte et de la gravelle, et tant d'autres étaient inutiles avant l'invention des remèdes ; invention qui n'a suivi que de fort loin l'existence des maladies. Outre que l'on ne manquerait pas de consulter les médecins, quand même les douleurs de la goutte et de la gravelle seraient dix fois moins violentes qu'elles ne le sont. Et les douleurs de l'enfantement, à quoi servent-elles ? On se détermine par là, me répondrez-vous, à mander un accoucheur ou une accoucheuse malgré la honte, et à faire des efforts qui contribuent à la naissance de l'enfant. Mais si la mère et l'enfant expirent au milieu de la douleur et en dépit des remèdes comme il arrive souvent[1], qu'aurez-vous à me répondre ? Et doutez-vous que si le plaisir croissait à proportion des efforts de faire sortir l'enfant, on ne se déterminât pas encore mieux à appeler une sage-femme, et à tout le reste ?

Note ajoutée par Bayle : Et il est à noter qu'une femme qui serait seule dans un désert sentirait autant de douleur que dans une ville ; disons la même chose de cent autres circonstances où la douleur ne peut servir à faire trouver nul remède.

(*Réponse aux questions d'un provincial*).

LE RAISONNEMENT DES LIBERTINS

Selon vous, *disent ceux qui combattent l'unité du premier principe*, ce principe unique est infini en bonté, en sainteté, en science, en sagesse, et en puissance. Il lui est libre de créer un monde, ou de s'en abstenir ; s'il se détermine à créer, il choisit, entre une infinité de plans que l'infinité de sa science lui découvre, celui-ci ou celui-là, et il l'exécute selon son bon plaisir, et laisse tous les autres dans la pure

---

1. Voir page 56, note 2.

possibilité. Il n'a pas besoin d'agir hors de lui pour augmenter sa béatitude, ni sa gloire ; c'est uniquement par un acte de bonté qu'il se détermine à la création ; le propre du bien est d'être communicatif. C'est donc la bonté infinie qui l'a dirigé à choisir un certain plan préférablement à tout autre, parmi cette infinité de systèmes que la science lui montrait. Comment donc serait-il possible qu'il eût préféré à tous les autres systèmes celui dont les suites devaient être inévitablement le malheur des créatures sensitives ? Quoi ? parmi une infinité de plans ou simples ou combinés, il ne s'en trouvait aucun qui ne dût avoir ou ces suites-là, ou d'autres encore plus funestes à la créature ?... Cela n'est pas concevable. Mais s'il s'est trouvé quelque plan, dont les suites dussent rendre l'homme constamment heureux et vertueux, voilà celui que Dieu eût choisi, et qu'il eût mis en exécution puisque sa bonté le dirigeait et que son amour pour la sainteté est infini, et qu'il peut tout ce qu'il veut. Or l'expérience nous montre que ce système n'a point été exécuté : donc le monde n'est point l'ouvrage de ce seul principe infiniment bon...

(*Réponse aux questions d'un provincial*).

LA LIBERTÉ DU BIEN ET DU MAL

Vous me direz peut-être qu'il y a des occasions où l'on marque sa bonté, en se dispensant d'une exacte vigilance sur la conduite d'autrui. Je vous l'accorde. C'est faire beaucoup de plaisir à une femme, ou à une fille, que de les laisser sur leur bonne foi, et que de leur témoigner par là qu'on fait un jugement très avantageux de leur sagesse. On croirait les désobliger par des signes de défiance, et de là vient qu'on a la bonté de supprimer tous ces signes ; mais prenez bien garde que cela suppose dans un mari, et dans une père qui font leur devoir, un juste sujet de ne rien craindre, et une forte disposition à prendre d'autres mesures dès que le péril se présentera.

Un mari quitterait et le jeu et la bouteille pour aller séparer les combattants, s'il apprenait que sa femme cajolée par un tentateur, s'était d'abord très bien défendue, mais qu'elle commençait à mollir, de sorte qu'il y avait plus à craindre qu'à espérer. Une mère, qui apprendrait une nouvelle semblable touchant sa fille, quitterait la pâte, les cartes, le bal pour courir à ce feu-là afin de l'éteindre. Après de telles épreuves l'ordre, la prudence et la charité exigent que l'on exerce d'une autre manière les devoirs de l'amitié, c'est-à-dire en éclairant de fort près les personnes qui ne sont pas encore bien affermies dans la vertu.

Nous ne connaissons point d'espèce de supérieurs, qui faisant bien leur devoir n'ôtent leurs présents à celui qui en abuse. Un père qui aura donné des couteaux à ses enfants, les leur ôtera dès qu'il aura vu qu'ils ne sauraient les manier sans se faire du mal ou à eux-mêmes, ou les uns aux autres.

[Par conséquent, continue Bayle, il est peu satisfaisant d'affirmer que Dieu était dans l'obligation de laisser au premier homme une liberté dont il savait parfaitement que celui-ci, par un aveuglement d'ailleurs incompréhensible, allait aussitôt mal user, entraînant par-là même la damnation du genre humain]. D'ailleurs Jésus-Christ n'affirme-t-il pas dans l'Évangile de saint Matthieu : Si vous, quoique vous soyez mauvais, savez bien donner à vos enfants des choses bonnes, *combien plus* votre Père céleste donnera-t-il des biens à ceux qui les lui demandent.

Lorsqu'on prétend « que la condition de l'homme eût été plus malheureuse s'il eût été privé de la liberté, puisqu'il n'y a que les agents libres qui puissent être parfaitement heureux », on ne considère pas qu'il ne manque rien au bonheur des Anges et des Saints du Paradis, quoiqu'ils n'aient point la liberté en question.

(*Réponse aux questions d'un provincial*).

Voltaire

« LE PARTI DE L'HUMANITÉ »

Le grand adversaire pour les philosophes du XVIIIe
siècle dans leur lutte contre la métaphysique, c'est
évidemment Pascal. Voltaire lui consacre la dernière
et la plus importante de ses *Lettres philosophiques*
(parues en Angleterre en 1733, en France en 1734,
mais aussitôt condamnées au bûcher « comme propres
à inspirer le libertinage le plus dangereux pour la
religion et pour l'ordre de la société civile »). Voltaire
s'en prend de nouveau à Pascal en 1742, puis tout à
la fin de sa vie, en 1777, à la fin de l'édition des *Pensées*
par Condorcet.

Il utilise chaque fois la même méthode, simple et
efficace : citer textuellement une pensée de Pascal,
et la réfuter aussitôt avec le plus de précision possible.
Mais, encore assez prudent en 1733, il dénonce
violemment en 1777 « le roman théologique de la
chute de l'homme ». et les guerres ou persécutions
sanglantes engendrées par la métaphysique : « Il
n'y a pas un article de foi qui n'ait enfanté une guerre
civile ».

Il me paraît qu'en général l'esprit dans lequel
M. Pascal écrivit ces *Pensées* était de montrer l'homme dans un jour odieux. Il s'acharne à nous peindre
tous méchants et malheureux. Il écrit contre la
nature humaine à peu près comme il écrivait contre
les Jésuites. Il impute à l'essence de notre nature ce
qui n'appartient qu'à certains hommes. Il dit
éloquemment des injures au genre humain. J'ose
prendre le parti de l'humanité contre ce misanthrope
sublime ; j'ose assurer que nous ne sommes ni si
méchants ni si malheureux qu'il le dit ; je suis, de
plus, très persuadé que, s'il avait suivi, dans le livre
qu'il méditait, le dessein qui paraît dans ses *Pensées*,
il aurait fait un livre plein de paralogismes éloquents
et de faussetés admirablement déduites. Je crois

même que tous ces livres qu'on a faits depuis peu pour prouver la Religion chrétienne, sont plus capables de scandaliser que d'édifier. Ces auteurs prétendent-ils en savoir plus que Jésus-Christ et les Apôtres ? C'est vouloir soutenir un chêne en l'entourant de roseaux ; on peut écarter ces roseaux inutiles sans craindre de faire tort à l'arbre.

J'ai choisi avec discrétion quelques pensées de Pascal ; je mets les réponses au bas. C'est à vous à juger si j'ai tort ou raison.

I. « *Les grandeurs et les misères de l'homme sont tellement visibles qu'il faut nécessairement que la vraie religion nous enseigne qu'il y a en lui quelque grand principe de grandeur, et en même temps quelque grand principe de misère. Car il faut que la véritable Religion connaisse à fond notre nature, c'est-à-dire qu'elle connaisse tout ce qu'elle a de grand et tout ce qu'elle a de misérable, et la raison de l'un et de l'autre. Il faut encore qu'elle nous rende raison des étonnantes contrariétés qui s'y rencontrent.* »

Cette manière de raisonner paraît fausse et dangereuse : car la fable de Prométhée et de Pandore, les androgynes de Platon et les dogmes des Siamois rendraient aussi bien raison de ces contrariétés apparentes. La Religion chrétienne n'en demeurera pas moins vraie, quand même on n'en tirerait pas ces conclusions ingénieuses, qui ne peuvent servir qu'à faire briller l'esprit.

Le Christianisme n'enseigne que la simplicité, l'humanité, la charité ; vouloir le réduire à la métaphysique, c'est en faire une source d'erreurs.

V. *Le Pari.*

Cet article paraît un peu indécent et puéril ; cette idée de jeu, de pertes et de gain, ne convient point à la gravité du sujet.

De plus, l'intérêt que j'ai à croire une chose n'est pas une preuve de l'existence de cette chose. Je vous donnerai, me dites-vous, l'empire du monde, si je crois que vous avez raison. Je souhaite alors de tout mon cœur que vous ayez raison ; mais, jusqu'à ce que vous me l'ayez prouvé, je ne puis vous croire.

Commencez, pourrait-on dire à M. Pascal, par convaincre ma raison. J'ai intérêt, sans doute, qu'il y ait un Dieu ; mais si, dans votre système, Dieu n'est venu que pour si peu de personnes ; si le petit nombre des élus est si effrayant ; si je ne puis rien du tout par moi-même, dites-moi, je vous prie, quel intérêt j'ai à vous croire ? N'ai-je pas un intérêt visible à être persuadé du contraire ? De quel front osez-vous me montrer un bonheur infini, auquel, d'un million d'hommes, à peine un seul a droit d'aspirer ? Si vous voulez me convaincre, prenez-vous-y d'une autre façon, et n'allez pas tantôt me parler de jeu de hasard, de pari, de croix et de pile, et tantôt m'effrayer par les épines que vous semez sur le chemin que je veux et que je dois suivre. Votre raisonnement ne servirait qu'à faire des athées, si la voix de toute la nature ne nous criait qu'il y a un Dieu, avec autant de force que ces subtilités ont de faiblesse.

XVIII. « *Qu'on ne nous reproche donc plus le manque de clarté, puisque nous en faisons profession ; mais que l'on reconnaisse la vérité de la religion dans l'obscurité même de la religion, dans le peu de lumière que nous en avons, et dans l'indifférence que nous avons de la connaître.* »

Voilà d'étranges marques de vérité qu'apporte Pascal ! Quelles autres marques a donc le mensonge ? Quoi ! il suffirait, pour être cru, de dire : *Je suis obscur, je suis inintelligible !* Il serait bien plus sensé de ne présenter aux yeux que les lumières de la foi, au lieu de ces ténèbres d'érudition.

XIX. « *S'il n'y avait qu'une religion, Dieu serait trop manifeste.* »

Quoi ! vous dites que, s'il n'y avait qu'une religion, Dieu serait trop manifeste ! Eh ! oubliez-vous que vous dites, à chaque page, qu'un jour il n'y aura qu'une religion ? Selon vous, Dieu sera donc alors trop manifeste.

XXIII. « *Mais quand j'y ai regardé de plus près, j'ai trouvé que cet éloignement que les hommes ont du repos, et de demeurer avec eux-mêmes, vient d'une cause bien effective, c'est-à-dire du malheur naturel de notre condition faible et mortelle, et si misérable que rien ne nous peut consoler, lorsque rien ne nous empêche d'y penser, et que nous ne voyons que nous.* »

Ce mot *ne voir que nous* ne forme aucun sens.

Qu'est-ce qu'un homme qui n'agirait point, et qui est supposé se contempler ? Non seulement je dis que cet homme serait un imbécile, inutile à la société, mais je dis que cet homme ne peut exister : car que contemplerait-il ? son corps, ses pieds, ses mains, ses cinq sens ? Ou il serait un idiot, ou bien il ferait usage de tout cela. Resterait-il à contempler sa faculté de penser ? Mais il ne peut contempler cette faculté qu'en l'exerçant. Ou il ne pensera à rien, ou bien il pensera aux idées qui lui sont déjà venues, ou il en composera de nouvelles : or il ne peut avoir d'idées que du dehors. Le voilà donc nécessairement occupé ou de ses sens ou de ses idées ; le voilà donc hors de soi, ou imbécile.

Encore une fois, il est impossible à la nature humaine de rester dans cet engourdissement imaginaire ; il est absurde de le penser ; il est insensé d'y prétendre. L'homme est né pour l'action, comme le feu tend en haut et la pierre en bas. N'être point occupé et n'exister pas est la même chose pour l'homme. Toute la différence consiste dans les occupations douces ou tumultueuses, dangereuses ou utiles.

XLII. « *Le port règle ceux qui sont dans un vaisseau ; mais où trouverons-nous ce point dans la morale ?* »

Dans cette seule maxime reçue de toutes les nations :

« Ne faites pas à autrui ce que vous ne voudriez pas qu'on vous fît. »

LI. « *C'est une plaisante chose à considérer, de ce qu'il y a des gens dans le monde qui, ayant renoncé à toutes les Lois de Dieu et de la nature, s'en sont fait eux-mêmes auxquelles ils obéissent exactement, comme par exemple, les voleurs, etc.* »

Cela est encore plus utile que plaisant à considérer ; car cela prouve que nulle société d'hommes ne peut subsister un seul jour sans règles.

LII. « *L'homme n'est ni Ange ni bête : et le malheur veut que qui veut faire l'Ange fait la bête* ».

Qui veut détruire les passions, au lieu de les régler, veut faire l'*Ange*.

Voltaire et Rousseau

En 1748, Voltaire, bien que visiblement il n'en soit pas complètement satisfait, se laisse encore proposer par un ange, dans *Zadig*, une explication au problème du mal toute proche de celle de Garo dans *Le gland et la citrouille*. Mais des expériences amères dans sa vie privée comme dans sa vie publique, la meurtrière Guerre de Sept Ans, ses recherches historiques pour l'*Essai sur les mœurs*, le tremblement de terre de Lisbonne du 1ᵉʳ novembre 1755 avec ses 20 000 victimes le conduisent peu à peu à reconsidérer la question en son entier. Et ce n'est certes pas la réponse de Rousseau à son *Poème sur le désastre*, réponse uniquement théorique et fidéiste, qui peut le ramener à l'optimisme sommaire dont il témoignait dans *Le mondain*. Il ne répliquera à Rousseau que par *Candide*, son chef-d'œuvre.

Le village de Hacilar (Turquie) après le tremblement de terre du
18 mai 1971.

Voltaire
SUR LE DÉSASTRE DE LISBONNE

Malgré sa médiocrité poétique, le *Poème sur le désas-tre de Lisbonne*, écrit par Voltaire presque aussitôt après la nouvelle du tremblement de terre, connut un grand retentissement et suscita de nombreuses discussions.

Philosophes trompés qui criez : « Tout est bien »,
Accourez, contemplez ces ruines affreuses,
Ces débris, ces lambeaux, ces cendres malheureuses,
Ces femmes, ces enfants l'un sur l'autre entassés,
Sous ces marbres rompus ces membres dispersés ;
Cent mille infortunés que la terre dévore,
Qui, sanglants, déchirés, et palpitants encore,
Enterrés sous leurs toits, terminent sans secours
Dans l'horreur des tourments leurs lamentables jours!
Aux cris demi-formés de leurs voix expirantes,
Au spectacle effrayant de leurs cendres fumantes,
Direz-vous : « C'est l'effet des éternelles lois,
Qui d'un Dieu libre et bon nécessitent le choix » ?
Direz-vous, en voyant cet amas de victimes :
« Dieu s'est vengé ; leur mort est le prix de leurs
                                              [crimes » ?
Quel crime, quelle faute ont commis ces enfants
Sur le sein maternel écrasés et sanglants ?
Lisbonne, qui n'est plus, eut-elle plus de vices
Que Londres, que Paris, plongés dans les délices ?
Lisbonne est abîmée, et l'on danse à Paris.
Tranquilles spectateurs, intrépides esprits,
De vos frères mourants contemplant les naufrages,
Vous recherchez en paix les causes des orages :
Mais du sort ennemi quand vous sentez les coups,
Devenus plus humains, vous pleurez comme nous.
. . . .
Ainsi du monde entier tous les membres gémissent :
Nés tous pour les tourments, l'un par l'autre ils périssent:
Et vous composerez, dans ce chaos fatal,
Des malheurs de chaque être un bonheur général !
Quel bonheur ! ô mortel et faible et misérable,
Vous criez : « Tout est bien », d'une voix lamentable,
L'univers vous dément, et votre propre cœur

Cent fois de votre esprit a réfuté l'erreur.
Eléments, animaux, humains, tout est en guerre.
Il le faut avouer, le *mal* est sur la terre :
Son principe secret ne nous est point connu.
De l'auteur de tout bien le mal est-il venu ?...
. . . .
   Tout est bien, dites-vous, *et tout est nécessaire.*
Quoi ! l'univers entier, sans ce gouffre infernal,
Sans engloutir Lisbonne, eût-il été plus mal ?
   ... Je désire humblement, sans offenser mon Maître,
Que ce gouffre enflammé de soufre et de salpêtre,
Eût allumé ces feux dans le fond des déserts.
Je respecte mon Dieu mais j'aime l'univers.
Quand l'homme ose gémir d'un fléau si terrible,
Il n'est point orgueilleux, hélas ! il est sensible.
   Les tristes habitants de ces bords désolés,
Dans l'horreur des tourments, seraient-ils consolés,
Si quelqu'un leur disait : « Tombez, mourez tranquilles !
Pour le bonheur du monde on détruit vos asiles ;
D'autres mains vont bâtir vos palais embrasés,
D'autres peuples naîtront dans vos murs écrasés ;
Le Nord va s'enrichir de vos pertes fatales ;
Tous vos maux sont un bien dans les lois générales »[1]
   ... Non, ne présentez plus à mon cœur agité
Ces immuables lois de la nécessité,
Cette chaîne des corps, des esprits et des mondes.
O rêves de savants, ô chimères profondes !
Dieu tient en main la chaîne et n'est point enchaîné ;
Par son choix bienfaisant tout est déterminé,
Il est libre, il est juste, il n'est point implacable.
Pourquoi donc souffrons-nous sous un maître équitable?
Voilà le nœud fatal qu'il fallait délier,
Guérirez-vous nos maux en osant les nier ?

---

1. Voltaire est beaucoup plus clair et plus vif en prose, dans sa Préface : « Si, lorsque Lisbonne, Méquinez, Tétuan et tant d'autres villes furent englouties avec un si grand nombre de leurs habitants au mois de novembre 1755, des philosophes avaient crié aux malheureux qui échappaient à peine des ruines : "Tout est bien ; les héritiers des morts augmenteront leurs fortunes ; les maçons gagneront de l'argent à rebâtir des maisons ; les bêtes se nourriront des cadavres enterrés dans les débris : c'est l'effet nécessaire des causes nécessaires ; votre mal particulier n'est rien, vous contribuez au bien général" : un tel discours certainement eût été aussi cruel que le tremblement de terre a été funeste. »

Par prudence Voltaire atténue quelque peu la fin du *Poème sur le désastre de Lisbonne* :

Un jour tout sera bien, voilà notre espérance ;
Tout est bien aujourd'hui, voilà l'illusion.
Les sages me trompaient, et Dieu seul a raison,
Humble dans mes soupirs, soumis dans ma souffrance
Je ne m'élève point contre la Providence. »

Mais les coups sont portés et Jean-Jacques Rousseau ne s'y trompe pas. Le 18 août 1756 il prend la défense de Dieu et de Leibnitz dans une longue réponse à Voltaire.

Rousseau

« J'ATTENDS TOUT DE LA PROVIDENCE »

« Homme, prends patience, me disent Pope et « Leibnitz ; les maux sont un effet nécessaire de la « nature et de la constitution de cet univers. L'être « éternel et bienfaisant qui le gouverne eût voulu « t'en garantir : de toutes les économies possibles il a « choisi celle qui réunissait le moins de mal et le plus « de bien ; ou, pour dire la même chose encore plus « crûment, s'il le faut, s'il n'a pas mieux fait, c'est « qu'il ne pouvait mieux faire ». Que me dit maintenant votre poème ? « Souffre à jamais, malheureux. S'il est un Dieu qui t'ait créé, sans doute il est tout-puissant, il pouvait prévenir tous tes maux : n'espère donc jamais qu'ils finissent ; car on ne saurait voir pourquoi tu existes, si ce n'est pour souffrir et pour mourir ». Je ne sais ce qu'une pareille doctrine peut avoir de plus consolant que l'optimisme et que la fatalité même ; pour moi, j'avoue qu'elle me paraît plus cruelle encore que le manichéisme. Si l'embarras de l'origine du mal vous forçait d'altérer quelqu'une des perfections de Dieu, pourquoi vouloir justifier sa puissance aux dépens de sa bonté ? S'il faut choisir entre deux erreurs, j'aime encore mieux la première.

[...] Je ne vois pas qu'on puisse chercher la source du mal moral ailleurs que dans l'homme libre, perfectionné, partant corrompu ; et quant aux maux physiques... la plupart sont encore notre ouvrage. Sans quitter votre sujet de Lisbonne, convenez, par exemple, que la nature n'avait point rassemblé là vingt maisons de six à sept étages, et que si les habitants de cette grande ville eussent été dispersés plus également et plus légèrement logés, le dégât eût été beaucoup moindre et peut-être nul. Tout eût fui au premier ébranlement, et on les eût vus le lendemain à vingt lieues de là, tout aussi gais que s'il n'était rien arrivé. Mais il faut rester, s'opiniâtrer autour des masures, s'exposer à de nouvelles secousses, parce que ce qu'on laisse vaut mieux que ce qu'on peut emporter. Combien de malheureux ont péri dans ce désastre pour vouloir prendre l'un ses habits, l'autre ses papiers, l'autre son argent ! Ne sait-on pas que la personne de chaque homme est devenue la moindre partie de lui-même et que ce n'est presque pas la peine de la sauver quand on a perdu tout le reste.

Vous auriez voulu que le tremblement se fût fait au fond d'un désert plutôt qu'à Lisbonne. Peut-on douter qu'il ne s'en forme aussi dans les déserts ? Mais nous n'en parlons point, parce qu'ils ne font aucun mal aux messieurs des villes, les seuls hommes dont nous tenions compte. Ils en font peu même aux animaux et aux sauvages qui habitent épars ces lieux retirés et qui ne craignent ni la chute des toits, ni l'embrasement des maisons. Mais que signifierait un pareil privilège ? Serait-ce donc à dire que l'ordre du monde doit changer selon nos caprices, que la nature doit être soumise à nos lois et que, pour lui interdire un tremblement de terre en quelque lieu, nous n'avons qu'à y bâtir une ville ?

[...] Si je ramène ces questions à leur principe commun, il me semble qu'elles se rapportent toutes à celles de l'existence de Dieu. Si Dieu existe, il est parfait ; s'il est parfait, il est sage, puissant et juste ; s'il est juste et puissant, mon âme est immortelle ; si mon âme est immortelle, trente ans de vie ne sont rien pour moi et sont peut-être nécessaires au maintien de l'univers.

[...] Quant à moi, je vous avouerai naïvement que ni le pour ni le contre ne me paraissent démontrés sur ce point par les seules lumières de la raison et que, si le théiste ne fonde son sentiment que sur des probabilités, l'athée, moins précis encore, ne me paraît fonder le sien que sur les possibilités contraires. De plus, les objections de part et d'autre sont toujours insolubles, parce qu'elles roulent sur des choses dont les hommes n'ont point de véritable idée. Je conviens de tout cela, et pourtant je crois en Dieu tout aussi fermement que je crois une autre vérité, parce que croire et ne pas croire sont les choses du monde qui dépendent le moins de moi ; que l'état de doute est un état trop violent pour mon âme ; que quand ma raison flotte, ma foi ne peut rester longtemps en suspens et se détermine sans elle ; qu'enfin mille sujets de préférence m'attirent du côté le plus consolant et joignent le poids de l'espérance à l'équilibre de la raison.

A Dieu ne plaise que je veuille vous offenser ou vous contredire, mais il s'agit de la cause de la Providence, dont j'attends tout. Après avoir si longtemps puisé dans vos leçons des consolations et du courage, il m'est dur que vous m'ôtiez maintenant tout cela pour ne m'offrir qu'une espérance incertaine et vague, plutôt comme un palliatif actuel que comme un dédommagement à venir. Non, j'ai trop souffert en cette vie pour n'en pas attendre une autre. Toutes les subtilités de la métaphysique ne me feront pas douter un moment de l'immortalité de l'âme, et d'une Providence bienfaisante. Je la sens, je la crois, je la veux, je l'espère, je la défendrai jusqu'à mon dernier soupir.

Voltaire ne répondit à son contradicteur que quelques lignes dédaigneuses, où se marquait nettement sa nouvelle position : plutôt que de discuter sur le mal, il faut essayer de le diminuer. « Vous me pardonnerez de laisser là ces discussions philosophiques, qui ne sont que des amusements. Votre lettre est très belle, mais j'ai chez moi une de mes nièces qui, depuis trois semaines, est dans un assez grand danger, je suis garde-malade et très malade moi-même. J'attendrai que je me porte mieux et que ma nièce soit guérie pour penser avec vous. » Trois ans plus tard paraissait *Candide, ou l'optimisme*, prétendûment « traduit de l'allemand de M. le Docteur Ralph[1] ».

Candide a été élevé dans le beau château de Monsieur le Baron de Thunder-ten-tronckh, où le philosophe Pangloss prouve admirablement qu'il n'y a point d'effet sans cause, et que, dans ce meilleur des mondes possibles, le château de Monseigneur le Baron est le plus beau des châteaux, et Madame la meilleure des Baronnes possibles. Hélas, il en est chassé parce qu'il aime Mademoiselle Cunégonde, et il est devenu, bien malgré lui, soldat chez les Bulgares. Or ceux-ci sont en guerre avec les Abares[2].

« LA GUERRE »

Rien n'était si beau, si leste, si brillant, si bien ordonné que les deux armées. Les trompettes, les fifres, les hautbois, les tambours, les canons, formaient une harmonie telle qu'il n'y en eut jamais en enfer. Les canons renversèrent d'abord à peu près six mille hommes de chaque côté ; ensuite la mousqueterie ôta du meilleur des mondes environ neuf à dix mille coquins qui en infectaient la surface. La baïonnette fut aussi la raison suffisante de la mort

1. Personnage imaginaire, bien entendu. Pour éviter les actions de justice, Voltaire affirmait solennellement qu'il n'était pour rien dans *Candide*, « cette plaisanterie d'écolier », — mais presque personne n'était dupe de ce désaveu.

2. Peuple d'Asie qui, au VIᵉ siècle, avait envahi l'Europe centrale et combattu contre les Bulgares... Voltaire vise bien entendu tous les États du monde qui recourent à la guerre alors qu'ils pourraient l'éviter.

de quelques milliers d'hommes. Le tout pouvait bien se monter à une trentaine de mille âmes. Candide, qui tremblait comme un philosophe, se cacha du mieux qu'il put pendant cette boucherie héroïque.

Enfin, tandis que les deux rois faisaient chanter des *Te Deum*[1] chacun dans son camp, il prit le parti d'aller raisonner ailleurs des effets et des causes. Il passa par-dessus des tas de morts et de mourants, et gagna d'abord un village voisin ; il était en cendres : c'était un village abare que les Bulgares avaient brûlé, selon les lois du droit public. Ici des vieillards criblés de coups regardaient mourir leurs femmes égorgées, qui tenaient leurs enfants à leurs mamelles sanglantes ; là, des filles éventrées après avoir assouvi les besoins naturels de quelques héros rendaient les derniers soupirs ; d'autres, à demi brûlées, criaient qu'on achevât de leur donner la mort. Des cervelles étaient répandues sur la terre à côté de bras et de jambes coupés.

Candide s'enfuit au plus vite dans un autre village : il appartenait à des Bulgares, et les héros Abares l'avaient traité de même. Candide, toujours marchant sur des membres palpitants ou à travers des ruines, arriva enfin hors du théâtre de la guerre, portant quelques petites provisions dans son bissac, et n'oubliant jamais mademoiselle Cunégonde.

LE TREMBLEMENT DE TERRE ET L'INQUISITION

Candide et Pangloss, qui se sont retrouvés, arrivent à Lisbonne au moment du tremblement de terre qui détruit la ville et cause d'innombrables souffrances.

Quelques éclats de pierre avaient blessé Candide ; il était étendu dans la rue et couvert de débris. Il disait à Pangloss : « Hélas ! procure-moi un peu

---

1. Cantiques d'actions de grâces pour remercier Dieu de la victoire « Te Deum laudamus... Nous te louons, Seigneur... ».

de vin et d'huile ; je me meurs. — Ce tremblement de terre n'est pas une chose nouvelle, répondit Pangloss ; la ville de Lima éprouva les mêmes secousses en Amérique l'année passée ; mêmes causes, mêmes effets : il y a certainement une traînée de soufre sous terre depuis Lima jusqu'à Lisbonne. — Rien n'est plus probable, répondit Candide ; mais, pour Dieu, un peu d'huile et de vin. — Comment, probable ? répliqua le philosophe ; je soutiens que la chose est démontrée ». Candide perdit connaissance, et Pangloss lui apporta un peu d'eau d'une fontaine voisine.

Le lendemain, ayant trouvé quelques provisions de bouche en se glissant à travers des décombres, ils réparèrent un peu leurs forces. Ensuite ils travaillèrent comme les autres à soulager les habitants échappés à la mort. Quelques citoyens, secourus par eux, leur donnèrent un aussi bon dîner qu'on le pouvait dans un tel désastre : il est vrai que le repas était triste ; les convives arrosaient leur pain de leurs larmes ; mais Pangloss les consola en les assurant que les choses ne pouvaient être autrement : « Car, dit-il, tout ceci est ce qu'il y a de mieux : car, s'il y a un volcan à Lisbonne, il ne pouvait être ailleurs ; car il est impossible que les choses ne soient pas où elles sont ; car tout est bien ».

Un petit homme noir, familier de l'Inquisition, lequel était à côté de lui, prit poliment la parole et dit : « Apparemment que monsieur ne croit pas au péché originel : car, si tout est au mieux, il n'y a donc eu ni chute ni punition. — Je demande très humblement pardon à Votre Excellence, répondit Pangloss encore plus poliment, car la chute de l'homme et la malédiction entraient nécessairement dans le meilleur des mondes possibles. — Monsieur ne croit donc pas à la liberté ? dit le familier. — Votre Excellence m'excusera, dit Pangloss ; la liberté peut subsister avec la nécessité absolue : car il était nécessaire que nous fussions libres ; car enfin la volonté déterminée... » Pangloss était au milieu de sa phrase, quand

Homme qui va être brûlé par arrest de l'Inquisition.

P. Sevin f. C. Vermeulen sc.

Un condamné de l'Inquisition revêtu du scapulaire décrit par Voltaire dans *Candide* (Voltaire s'était documenté dans le livre de Dellon, *Relation de l'Inquisition à Goa*, duquel est extrait ce dessin).

le familier fit un signe de tête à son estafier qui lui servait à boire du vin de Porto ou d'Oporto.

. . . .

Après le tremblement de terre qui avait détruit les trois quarts de Lisbonne, les sages du pays n'avaient pas trouvé un moyen plus efficace pour prévenir une ruine totale que de donner au peuple un bel autodafé[1] ; il était décidé par l'université de Coïmbre[2] que le spectacle de quelques personnes brûlées à petit feu, en grande cérémonie, est un secret infaillible pour empêcher la terre de trembler.

On avait en conséquence saisi un Biscayen[3] convaincu d'avoir épousé sa commère[4], et deux Portugais qui en mangeant un poulet en avaient arraché le lard[5]. On vint lier après le dîner le docteur Pangloss et son disciple Candide, l'un pour avoir parlé, et l'autre pour l'avoir écouté avec un air d'approbation : tous deux furent menés séparément dans des appartements d'une extrême fraîcheur, dans lesquels on n'était jamais incommodé du soleil : huit jours après ils furent tous deux revêtus d'un sanbenito[6], et on orna leurs têtes de mitres de papier : la mitre et le sanbenito de Candide étaient peints de flammes renversées et de diables qui n'avaient ni queues ni griffes ; mais les diables de Pangloss

---

1. *auto da fe ;* en portugais *acte de foi,* cérémonie au cours de laquelle les hérétiques condamnés au bûcher par l'Inquisition étaient invités à faire *acte de foi* pour être rachetés de l'enfer après leur supplice.

2. La plus célèbre université du Portugal.

3. Un habitant de la province de Biscaye.

4. L'Église catholique interdisait au parrain d'un enfant d'épouser la marraine de cet enfant (sa « commère »).

5. S'ils avaient arraché le lard, c'est vraisemblablement qu'ils ne voulaient pas le manger, donc qu'ils observaient une pratique de la loi juive.

6. Habits en forme de scapulaires dont l'Inquisition habillait ses victimes.

portaient griffes et queues, et les flammes étaient droites[1].

Ils marchèrent en procession ainsi vêtus, et entendirent un sermon très pathétique, suivi d'une belle musique en faux-bourdon. Candide fut fessé en cadence, pendant qu'on chantait ; le Biscayen et les deux hommes qui n'avaient point voulu manger de lard furent brûlés, et Pangloss fut pendu, quoique ce ne soit pas la coutume[2]. Le même jour, la terre trembla de nouveau avec un fracas épouvantable[3].

Candide, épouvanté, interdit, éperdu, tout sanglant, tout palpitant, se disait à lui-même : « Si c'est ici le meilleur des mondes possibles, que sont donc les autres ? Passe encore si je n'étais que fessé, je l'ai été chez les Bulgares ; mais, ô mon cher Pangloss ! le plus grand des philosophes ; faut-il vous avoir vu pendre sans que je sache pourquoi ! O mon cher anabaptiste ! le meilleur des hommes, faut-il que vous ayez été noyé dans le port ! O mademoiselle Cunégonde ! la perle des filles, faut-il qu'on vous ai fendu le ventre ! »

Il s'en retournait se soutenant à peine, prêché, fessé, absous et béni, lorsqu'une vieille l'aborda et lui dit : « Mon fils, prenez courage, suivez-moi ».

LA TOLÉRANCE, LE TRAVAIL, LA SOLIDARITÉ

Pangloss, cependant a été sauvé in extremis. Cunégonde, Candide et lui, ainsi que leurs divers compa-

---

1. Pangloss avait mal parlé, Candide a seulement écouté avec un air d'approbation, d'où leur châtiment et leurs costumes symboliques différents ; ces détails ne sont nullement inventés par Voltaire, il les trouve dans le livre de Dellon, *Relation sur l'inquisition de Goa*, paru en 1688 — livre qu'il avait consulté pour ses recherches de l'*Essai sur les mœurs*.

2. La coutume, lorsque les coupables étaient condamnés à mort, était de les brûler, comme viennent de l'être le Biscayen et les deux hommes qui n'avaient point voulu manger de lard.

3. Voltaire modifie les dates : le deuxième tremblement de terre eut lieu en décembre 1755, les autodafés en 1756, 1757 et 1758 (sans exécution).

gnons, vont encore connaître d'innombrables aventures. Mais le hasard les réunit tous, enfin, dans une petite métairie de Propontide. Hélas, désormais en sécurité et laissant faire tout le travail à leur domestique Cacambo, ils s'ennuient... Ils s'ennuient même tellement que la vieille ose leur dire un jour :

« Je voudrais bien savoir lequel est le pire, ou d'être violée cent fois par des pirates nègres, d'avoir une fesse coupée, de passer par les baguettes chez les Bulgares, d'être fouetté et pendu dans un auto-dafé, d'être disséqué, de ramer en galère, d'éprouver enfin toutes les misères par lesquelles nous avons tous passé, ou bien de rester ici à ne rien faire ? — C'est une grande question », dit Candide.

Ce discours fit naître de nouvelles réflexions et Martin surtout conclut que l'homme était né pour vivre dans les convulsions de l'inquiétude, ou dans la léthargie de l'ennui. Candide n'en convenait pas, mais il n'assurait rien. Pangloss avouait qu'il avait toujours horriblement souffert ; mais, ayant soutenu une fois que tout allait à merveille, il le soutenait toujours et n'en croyait rien. [...]

Il y avait dans le voisinage un derviche très fameux, qui passait pour le meilleur philosophe de la Turquie ; ils allèrent le consulter ; Pangloss porta la parole, et lui dit : « Maître, nous venons vous prier de nous dire pourquoi un aussi étrange animal que l'homme a été formé. — De quoi te mêles-tu ? dit le derviche, est-ce là ton affaire ? — Mais, mon révérend père, dit Candide, il y a horriblement de mal sur la terre. — Qu'importe, dit le derviche, qu'il y ait du mal ou du bien ? Quand Sa Hautesse envoie un vaisseau en Égypte, s'embarrasse-t-elle si les souris qui sont dans le vaisseau sont à leur aise ou non ? — Que faut-il faire donc ? dit Pangloss. — Te taire, dit le derviche. — Je me flattais, dit Pangloss, de raisonner un peu avec vous des effets et des causes, du meilleur des mondes possibles, de l'origine du mal, de la nature de l'âme et de l'harmonie préétablie ». Le derviche, à ces mots, leur ferma la porte au nez.

Pendant cette conversation, la nouvelle s'était répandue qu'on venait d'étrangler à Constantinople deux vizirs du banc et le muphti, et qu'on avait empalé plusieurs de leurs amis. Cette catastrophe faisait partout un grand bruit pendant quelques heures. Pangloss, Candide et Martin, en retournant à la petite métairie, rencontrèrent un bon vieillard qui prenait le frais à sa porte sous un berceau d'orangers. Pangloss, qui était aussi curieux que raisonneur, lui demanda comment se nommait le muphti qu'on venait d'étrangler. « Je n'en sais rien, répondit le bonhomme, et je n'ai jamais su le nom d'aucun muphti ni d'aucun vizir. J'ignore absolument l'aventure dont vous me parlez ; je présume qu'en général ceux qui se mêlent des affaires publiques périssent quelquefois misérablement et qu'ils le méritent ; mais je ne m'informe jamais de ce qu'on fait à Constantinople ; je me contente d'y envoyer vendre les fruits du jardin que je cultive. » Ayant dit ces mots, il fit entrer les étrangers dans sa maison : ses deux filles et ses deux fils leur présentèrent plusieurs sortes de sorbets qu'ils faisaient eux-mêmes, du kaïmac piqué d'écorces de cédrat confit, des oranges, des citrons, des limons, des ananas, des dattes, des pistaches, du café de Moka qui n'était point mêlé avec le mauvais café de Batavia et des îles. Après quoi les deux filles de ce bon musulman parfumèrent les barbes de Candide, de Pangloss et de Martin.

« Vous devez avoir, dit Candide au Turc, une vaste et magnifique terre ? — Je n'ai que vingt arpents, répondit le Turc ; je les cultive avec mes enfants ; le travail éloigne de nous trois grands maux : l'ennui, le vice et le besoin. »

Candide, en retournant dans sa métairie, fit de profondes réflexions sur le discours du Turc. Il dit à Pangloss et à Martin : « Ce bon vieillard me paraît s'être fait un sort bien préférable à celui des six rois avec qui nous avons eu l'honneur de souper. — Les grandeurs, dit Pangloss, sont fort dangereuses, selon le rapport de tous les philosophes : car enfin, Églon, roi des Moabites, fut assassiné par Aod ; Absalon fut pendu par les cheveux et percé de trois dards ; le roi Nadab, fils de Jéroboam, fut tué par Baasa ; le roi Éla, par Zambri, Ochosias, par Jéhu ; Athalia, par Joïada ; les rois Joachim, Jéchonias, Sédécias, furent esclaves. Vous savez comment périrent Crésus, Astyage, Darius, Denys de Syracuse, Pyrrhus, Persée, Annibal, Jugurtha, Arioviste, César, Pompée, Néron, Othon, Vitellius, Domitien, Richard II d'Angleterre, Édouard II, Henri VI, Richard III, Marie Stuart, Charles Ier, les trois Henri de France, l'empereur Henri IV ? Vous savez... — Je sais aussi, dit Candide, qu'il faut cultiver notre jardin. — Vous avez raison, dit Pangloss : car, quand l'homme fut mis dans le jardin d'Éden, il y fut mis *ut operaretur eum*, pour qu'il travaillât ; ce qui prouve que l'homme n'est pas né pour le repos. — Travaillons sans raisonner, dit Martin ; c'est le seul moyen de rendre la vie supportable. »

Toute la petite société entra dans ce louable dessein ; chacun se mit à exercer ses talents. La petite terre rapporta beaucoup. Cunégonde était à la vérité bien laide, mais elle devint une excellente pâtissière ; Paquette broda ; la vieille eut soin du linge. Il n'y eut pas jusqu'à frère Giroflée qui ne rendît service ; il fut un très bon menuisier, et même devint honnête homme ; et Pangloss disait quelquefois à Candide : « Tous les événements sont enchaînés dans le meilleur des mondes possibles : car enfin, si vous n'aviez pas été chassé d'un beau château à grands coups de pied dans le derrière pour l'amour de mademoiselle Cunégonde, si vous n'aviez pas été mis à l'Inquisition, si vous n'aviez pas couru l'Amérique à pied, si vous n'aviez pas donné un bon coup d'épée au baron, si vous n'aviez pas perdu tous vos moutons du bon pays d'Eldorado, vous ne mangeriez pas ici des cédrats confits et des pistaches. — Cela est bien dit, répondit Candide, mais il faut cultiver notre jardin. »

---

1. Reprenez à votre tour chacune des Pensées de Pascal citées pages 86 à 89, les remarques que Voltaire propose à leur sujet, et essayez de donner votre opinion vous-même, avec autant de précision et de concision.

2. Dans le *Poème sur le désastre de Lisbonne* Voltaire précise nettement ses objections aux explications habituelles du mal. Donne-t-il une réponse ?

3. Montrez l'extrême rapidité et l'extrême précision concrète du style de *Candide*. Quelle efficacité cela donne-t-il à la satire (souvent par la simple juxtaposition des phrases, ou des participes...) ? Donnez des exemples.

4. Quelles sont exactement les leçons du dernier chapitre, — sur la métaphysique ? sur la politique ? sur la vie sociale ? sur la vie privée ? Ces leçons sont-elles uniquement négatives à votre avis ? Qu'en retenez-vous pour votre part ?

Diderot

PENSÉES PHILOSOPHIQUES

Diderot commence ses campagnes de propagande prudemment, par une traduction (une adaptation plutôt !) de l'*Essai sur la vérité et la vertu* de Shaftesbury. A l'opposé absolu de Pascal, il soutient que l'homme *peut* faire le bien sans aucun secours extérieur, et à l'opposé absolu de La Rochefoucauld, le fait qu'il y trouve normalement son propre bénéfice ne lui paraît pas du tout une marque de méchanceté ou de corruption, mais une conséquence logique, heureuse, des lois naturelles. « Il y a profit à être vertueux », dit-il et « pour être convaincu qu'il y a du profit à être vertueux il n'est point nécessaire de croire en Dieu. »

Mais Diderot brûle d'attaquer plus violemment. Ses *Pensées philosophiques* (à la manière de Voltaire) paraissent à La Haye en 1746. Le livre a beau être condamné le 7 juillet à Paris par ordre du Parlement, il est lu par de très nombreux hommes cultivés.

9. Sur le portrait qu'on me fait de l'Être suprême, sur son penchant à la colère, sur la rigueur de ses vengeances, sur certaines comparaisons qui nous expriment en nombres le rapport de ceux qu'il laisse périr, à ceux à qui il daigne tendre la main, l'âme la plus droite serait tentée de souhaiter qu'il n'existât pas. L'on serait assez tranquille en ce monde si l'on était bien assuré que l'on n'a rien à craindre dans l'autre : la pensée qu'il n'y a point de Dieu n'a jamais effrayé personne, mais bien celle qu'il y en a un tel que celui qu'on me peint.

11. Je sais que les idées sombres de la superstition sont plus généralement approuvées que suivies ; qu'il est des dévots qui n'estiment pas qu'il faille se haïr cruellement pour bien aimer Dieu, et vivre en désespérés pour être religieux : leur dévotion est enjouée ; leur sagesse est fort humaine : mais d'où naît cette différence de sentiments entre des gens qui se prosternent au pied des mêmes autels ? La piété suivrait-elle aussi la loi de ce maudit tempérament ? Hélas ! comment en disconvenir ? Son influence ne se remarque que trop sensiblement dans le même dévot : il voit, selon qu'il est affecté, un Dieu vengeur ou miséricordieux; les enfers ou les cieux ouverts ; il tremble de frayeur ou il brûle d'amour : c'est une fièvre qui a ses accès froids et chauds.

12. Oui, je le soutiens ; la superstition est plus injurieuse à Dieu que l'athéisme. J'aimerais mieux, dit Plutarque, qu'on pensât qu'il n'y eût jamais de Plutarque au monde, que de croire que Plutarque est injuste, colère, inconstant, jaloux, vindicatif, et tel qu'il serait bien fâché d'être.

15. « Je vous dis qu'il n'y a point de Dieu ; que la création est une chimère ; que l'éternité du monde n'est pas plus incommode que l'éternité d'un esprit ; que, parce que je ne conçois pas comment le mouvement a pu engendrer cet univers, qu'il a si bien la vertu de conserver, il est ridicule de lever cette difficulté par l'existence supposée d'un Être que je ne conçois pas davantage ; que, si les merveilles qui brillent dans l'ordre physique décèlent quelque intelligence, les désordres qui règnent dans l'ordre moral anéantissent toute Providence... »

Voilà, dit l'athée, ce que je vous objecte ; qu'avez-vous à répondre ? ... « *que je suis un scélérat ; et que si je n'avais rien à craindre de Dieu, je n'en combattrais pas l'existence* ». Laissons cette phrase aux déclamateurs : elle peut choquer la vérité ; l'urbanité la défend, et elle marque peu de charité. Parce qu'un homme a tort de ne pas croire en Dieu, avons-nous raison de l'injurier ? On n'a recours aux invectives que quand on manque de preuves. Entre deux controversistes, il y a cent à parier contre un, que celui qui aura tort se fâchera. « Tu prends ton tonnerre au lieu de répondre, dit Ménippe à Jupiter ; tu as donc tort. »

« Plusieurs années après la publication des *Pensées philosophiques*, Diderot, enhardi par le succès que cet ouvrage avait eu, parmi les bons esprits, les seuls sages qu'il reconnût, y fit une suite qu'il garda prudemment dans son portefeuille, et qui aurait infailliblement compromis son repos, sa liberté, peut-être même sa vie, si dans ces temps, marqués dans notre histoire par tant d'atrocités ministérielles, il l'eût livrée à l'impression ». (Naigeon, ami de Diderot, et éditeur, en 1798, de ses *Œuvres complètes*).

7. Pascal, Nicole et autres ont dit : « Qu'un Dieu punisse de peines éternelles la faute d'un père coupable sur tous ses enfants innocents, c'est une proposition *supérieure*, et non *contraire* à la raison ».

Mais qu'est-ce donc qu'une proposition contraire à la raison, si celle qui énonce évidemment un blasphème ne l'est pas ?

15. S'il y a cent mille damnés pour un sauvé, le diable a toujours l'avantage, sans avoir abandonné son fils à la mort.

16. Le Dieu des chrétiens est un père qui fait grand cas de ses pommes, et fort peu de ses enfants.

37. *In dolore paries* (Genèse). Tu engendreras dans la douleur, dit Dieu à la femme prévaricatrice. Et que lui avaient fait les femelles des animaux, qui engendrent aussi dans la douleur ?

40. *Ce Dieu qui fait mourir Dieu pour apaiser Dieu*, est un mot excellent du baron de la Hontan. Il résulte moins d'évidence de cent volumes in-folio écrits pour ou contre le christianisme, que de ridicule de ces deux lignes.

47. Dieu le père juge les hommes dignes de sa vengeance éternelle, Dieu le fils les juge dignes de sa miséricorde infinie, le Saint-Esprit reste neutre. Comment accorder ce verbiage catholique avec l'unité de la volonté divine ?

59. Pascal a dit : « Si votre religion est fausse, vous ne risquez rien à la croire vraie ; si elle est vraie, vous risquez tout à la croire fausse. » Un iman en peut dire tout autant que Pascal.

● CHAPITRE IV

LE XIXᵉ SIÈCLE

● UNE INTERROGATION PATHÉTIQUE

Le XIXᵉ siècle, dans nos lettres, est d'abord celui du lyrisme. Chaque poète chante ses joies et ses douleurs, s'interroge sur elles, mais aussi sur toutes les joies et les douleurs des hommes, sur la misère sociale, — sur les souffrances de tous les êtres. Si les solutions et les œuvres se diversifient à l'extrême, suivant le caractère particulier de chaque auteur, la même interrogation est répétée par tous ; — et elle est souvent placée dans la bouche même du Christ, que les classiques, dans leurs vers, n'osaient même pas nommer.

Des poèmes ou des discours sur notre sujet figurent dans tous les recueils, mais plus particulièrement dans :

LAMARTINE : *Méditations, Jocelyn, La chute d'un ange* (édition la plus commode : Œuvres choisies, Hatier).

MUSSET : *Poésies nouvelles* (Pléiade), *Lorenzaccio* (Univers des Lettres Bordas).

HUGO : *Les châtiments* (Univers des Lettres Bordas), *Les contemplations* (Univers des Lettres Bordas). *Dieu, La fin de Satan, La pitié suprême, Le pape, Religions et religion, L'âme* (Œuvres complètes, Pauvert ou Club Français du Livre).

VIGNY : *Les destinées, Journal d'un poète* (Pléiade).

NERVAL : *Les chimères* (Univers des Lettres Bordas).

BAUDELAIRE : *Les fleurs du mal, Le spleen de Paris* (Pléiade).

FLAUBERT : *La tentation de saint Antoine* (Pléiade).

Lamartine

Lamartine et Victor Hugo éprouveront à quelques années de distance la même douleur : la perte d'une fille en pleine jeunesse et profondément aimée. En 1832, lors de son voyage en Orient, Lamartine se vit enlever sa fille Julia à Beyrouth, en cinq jours, d'une maladie de poitrine. Il écrit à Virieu :

« Il n'y a de réponse à cela que dans le ciel, et Dieu seul peut parler. — Il le fait, j'espère, car, quoique dans l'horreur du premier sentiment de ce plus fort coup de ma vie je ne prie pas, je tâche de conformer ma volonté à la volonté divine, seul culte que je puisse avoir désormais. Je reconnais cette volonté plus forte et meilleure que les nôtres, même quand elle nous écrase. »

GETHSÉMANI

Un an plus tard, Lamartine écrit *Gethsémani* ou *La mort de Julia*. Ce poème, de style assez lâche, est très inférieur à celui de Victor Hugo que nous citons plus loin, mais la dernière strophe du moins est belle et dense, émouvante, significative :

Maintenant, tout est mort dans ma maison aride ;
Deux yeux toujours pleurant sont toujours devant
[moi ;

Je vais sans savoir où, j'attends sans savoir quoi ;
Mes bras s'ouvrent à rien et se ferment à vide.
Tous mes jours et mes nuits sont de même couleur ;
La prière en mon sein que avec l'espoir est morte....
Mais c'est Dieu qui t'écrase, ô mon âme ! sois forte :
    Baise sa main sous la douleur !

Victor Hugo

A la fin d'août 1843, Victor Hugo et Juliette Drouet reviennent d'Espagne à petites étapes. C'est leur «voyage de noces» annuel. Victor Hugo est profondément heureux. La société des hommes n'est point parfaite sans doute, mais la création est belle, Dieu est grand et bon et l'on peut avoir confiance en lui. Hugo écrit le 27 août dans une lettre familière[1] :

« Comment va Paris ? Qu'y faites-vous tous ? Voilà deux mois que je n'ai lu un journal, et je ne sais rien, si ce n'est que le ciel est éblouissant, le ciel bleu, la mer grande, la montagne admirable. Je sais tout de Dieu et rien de l'homme. Eh bien ! je vis, qu'en dites-vous ? N'ai-je pas l'essentiel ? Ne vaut-il pas mieux regarder les Pyrénées que les Chambres ? Un sapin penché sur une cascade n'est-il pas plus beau à voir que les lois qu'on fait ? L'Océan que Dieu agite n'est-il pas plus grand que cette foule où se démènent tant d'intérêts, où surnagent si peu d'idées ? A tout prendre, je vis comme un loup, et je trouve cela bon. »

Sa fille aînée et sa préférée, Léopoldine, dix-neuf ans, vient d'épouser le 15 février 1843 Charles Vacquerie. Elle aussi est profondément heureuse. Victor Hugo lui écrit : « Rayonne, mon enfant, tu es dans l'âge. »

---

1. Lettre adressée « à M. Alphonse », probablement l'ouvrier Alphonse Petit.

Le 9 septembre, Victor Hugo arrive à Rochefort. Il tient à visiter, pour un grand roman auquel il pense, l'arsenal de la marine et le bagne. Voici ce qu'écrit le correspondant dans la ville du journal parisien *Le siècle* :

« Les personnes qui reconnurent M. Victor Hugo se promenant avec tranquillité sur la place d'Armes se doutèrent bien qu'il ignorait le coup affreux dont il venait d'être atteint. En effet quelques moments après M. Victor Hugo entra au café de l'Europe avec un ami qui l'accompagnait.

Là, il se mit à lire un journal en attendant son déjeuner, lorsque tout à coup ses yeux se remplirent de larmes : il venait de lire la fatale nouvelle ! Aussitôt, il montra l'article à son compagnon, qui fut frappé de stupeur. La vue de ce pauvre père au désespoir était un spectacle bien douloureux. »

On sait ce qui s'était passé : le 4 septembre près de Villequier, sur la rive droite de l'estuaire de la Seine, le petit bâtiment à voiles où avaient pris place Léopoldine et son mari avait été brusquement renversé par un coup de vent. Charles Vacquerie, excellent nageur, n'était pas parvenu pourtant à sauver sa femme ; désespéré il s'était laissé couler à son tour et avait péri avec elle.

Victor Hugo est atterré. Non seulement son chagrin de père est immense, mais toutes ses certitudes s'effondrent, il ne peut écrire que des bribes de vers :

Le malheur s'est jeté sur moi, brusque et terrible,
Ainsi que l'ennemi par la brèche d'un mur...
O Dieu, je vous accuse ! ...
Vous pénétrez chez nous comme un voleur qui rôde...

Ce n'est que bien plus tard (peut-être en 1844, plus vraisemblablement en 1846) qu'il entreprend, se croyant apaisé, le grand poème *A Villequier*, dont nous donnons ici le texte intégral :

A VILLEQUIER

Maintenant que Paris, ses pavés et ses marbres,
Et sa brume et ses toits sont bien loin de mes yeux ;
Maintenant que je suis sous les branches des arbres,
Et que je puis songer à la beauté des cieux ;

Maintenant que du deuil qui m'a fait l'âme obscure 5
    Je sors, pâle et vainqueur,
Et que je sens la paix de la grande nature
    Qui m'entre dans le cœur ;

Maintenant que je puis, assis au bord des ondes,
Ému par ce superbe et tranquille horizon,   10
Examiner en moi les vérités profondes
Et regarder les fleurs qui sont dans le gazon ;

Maintenant, ô mon Dieu, que j'ai ce calme sombre
    De pouvoir désormais
Voir de mes yeux la pierre où je sais que dans l'ombre
    Elle dort pour jamais ;

Maintenant qu'attendri par ces divins spectacles,
Plaines, forêts, rochers, vallons, fleuve argenté,
Voyant ma petitesse et voyant vos miracles,
Je reprends ma raison devant l'immensité :   20

Je viens à vous, Seigneur, père auquel il faut croire ;
    Je vous porte, apaisé,
Les morceaux de ce cœur tout plein de votre gloire
    Que vous avez brisé ;

Je viens à vous, Seigneur ! confessant que vous êtes 25
Bon, clément, indulgent et doux, ô Dieu vivant !
Je conviens que vous seul savez ce que vous faites,
Et que l'homme n'est rien qu'un jonc qui tremble au
                        [vent ;

Je dis que le tombeau qui sur les morts se ferme
    Ouvre le firmament ;
Et que ce qu'ici-bas nous prenons pour le terme   30
    Est le commencement ;

Je conviens à genoux que vous seul, père auguste,
Possédez l'infini, le réel, l'absolu ;

Je conviens qu'il est bon, je conviens qu'il est juste 35
Que mon cœur ait saigné, puisque Dieu l'a voulu !

Je ne résiste plus à tout ce qui m'arrive
     Par votre volonté.
L'âme de deuils en deuils, l'homme de rive en rive,
     Roule à l'éternité.   40

Nous ne voyons jamais qu'un seul côté des choses ;
L'autre plonge en la nuit d'un mystère effrayant.
L'homme subit le joug sans connaître les causes,
Tout ce qu'il voit est court, inutile et fuyant.

Vous faites revenir toujours la solitude   45
     Autour de tous ses pas.
Vous n'avez pas voulu qu'il eût la certitude
     Ni la joie ici-bas !

Dès qu'il possède un bien, le sort le lui retire.
Rien ne lui fut donné, dans ses rapides jours,   50
Pour qu'il s'en puisse faire une demeure, et dire :
C'est ici ma maison, mon champ et mes amours !

Il doit voir peu de temps tout ce que ses yeux voient.
     Il vieillit sans soutiens.
Puisque ces choses sont, c'est qu'il faut qu'elles soient,
     J'en conviens, j'en conviens !

Le monde est sombre, ô Dieu ! l'immuable harmonie
Se compose des pleurs aussi bien que des chants ;
L'homme n'est qu'un atome en cette ombre infinie,
Nuit où montent les bons, où tombent les méchants.

Je sais que vous avez bien autre chose à faire
     Que de nous plaindre tous,
Et qu'un enfant qui meurt, désespoir de sa mère,
     Ne vous fait rien, à vous !

Je sais que le fruit tombe au vent qui le secoue,   65
Que l'oiseau perd sa plume, et la fleur son parfum ;
Que la création est une grande roue
Qui ne peut se mouvoir sans écraser quelqu'un ;

Les mois, les jours, les flots des mers, les yeux qui
      Passent sous le ciel bleu ;   [pleurent,
Il faut que l'herbe pousse et que les enfants meurent :
      Je le sais, ô mon Dieu !

Dans vos cieux, au-delà de la sphère des nues,
Au fond de cet azur immobile et dormant,
Peut-être faites-vous des choses inconnues   75
Où la douleur de l'homme entre comme élément.

Peut-être est-il utile à vos desseins sans nombre
      Que des êtres charmants
S'en aillent, emportés par le tourbillon sombre
      Des noirs événements.   80

Nos destins ténébreux vont sous des lois immenses
Que rien ne déconcerte et que rien n'attendrit.
Vous ne pouvez avoir de subites clémences
Qui dérangent le monde, ô Dieu, tranquille esprit !

Je vous supplie, ô Dieu ! de regarder mon âme,   85
      Et de considérer
Qu'humble comme un enfant et doux comme une
      Je viens vous adorer !   [femme,

Considérez encor que j'avais, dès l'aurore,
Travaillé, combattu, pensé, marché, lutté,   90
Expliquant la nature à l'homme qui l'ignore,
Éclairant toute chose avec votre clarté ;

Que j'avais, affrontant la haine et la colère,
      Fait ma tâche ici-bas,
Que je ne pouvais pas m'attendre à ce salaire,   95
      Que je ne pouvais pas

Prévoir que, vous aussi, sur ma tête qui ploie
Vous appesantiriez votre bras triomphant,
Et que, vous qui voyiez comme j'ai peu de joie,
Vous me reprendriez si vite mon enfant !   100

Qu'une âme ainsi frappée à se plaindre est sujette,
      Que j'ai pu blasphémer,

Et vous jeter mes cris comme un enfant qui jette
     Une pierre à la mer !

Considérez qu'on doute, ô mon Dieu! quand on souffre,
Que l'œil qui pleure trop finit pas s'aveugler,
Qu'un être que son deuil plonge au plus noir du
                           [gouffre,
Quand il ne vous voit plus, ne peut vous contempler,

Et qu'il ne se peut pas que l'homme lorsqu'il sombre
     Dans les afflictions,   110
Ait présente à l'esprit la sérénité sombre
     Des constellations !

Aujourd'hui, moi qui fus faible comme une mère,
Je me courbe à vos pieds devant vos cieux ouverts.
Je me sens éclairé dans ma douleur amère   115
Par un meilleur regard jeté sur l'univers.

Seigneur, je reconnais que l'homme est en délire
     S'il ose murmurer ;
Je cesse d'accuser, je cesse de maudire,
     Mais laissez-moi pleurer !   120

Hélas ! laissez les pleurs couler de ma paupière,
Puisque vous avez fait les hommes pour cela !
Laissez-moi me pencher sur cette froide pierre
Et dire à mon enfant : Sens-tu que je suis là ?

Laissez-moi lui parler, incliné sur ses restes,   125
     Le soir, quand tout se tait,
Comme si, dans sa nuit rouvrant ses yeux célestes,
     Cet ange m'écoutait !

Hélas ! vers le passé tournant un œil d'envie,
Sans que rien ici-bas puisse m'en consoler,   130
Je regarde toujours ce moment de ma vie
Où je l'ai vue ouvrir son aile et s'envoler.

Je verrai cet instant jusqu'à ce que je meure,
     L'instant, pleurs superflus !
Où je criai : L'enfant que j'avais tout à l'heure,   135
     Quoi donc ! je ne l'ai plus !

Ne vous irritez pas que je sois de la sorte,
O mon Dieu ! cette plaie a si longtemps saigné !
L'angoisse dans mon âme est toujours la plus forte,
Et mon cœur est soumis, mais n'est pas résigné.   140

Ne vous irritez pas ! fronts que le deuil réclame,
    Mortels sujets aux pleurs.
Il nous est malaisé de retirer notre âme
    De ces grandes douleurs.

Voyez-vous, nos enfants nous sont bien nécessaires,
Seigneur ; quand on a vu dans sa vie, un matin,
Au milieu des ennuis, des peines, des misères,
Et de l'ombre que fait sur nous notre destin,

Apparaître un enfant, tête chère et sacrée,
    Petit être joyeux,   150
Si beau, qu'on a cru voir s'ouvrir à son entrée
    Une porte des cieux ;

Quand on a vu, seize ans, de cet autre soi-même
Croître la grâce aimable et la douce raison,
Lorsqu'on a reconnu que cet enfant qu'on aime   155
Fait le jour dans notre âme et dans notre maison,

Que c'est la seule joie ici-bas qui persiste
    De tout ce qu'on rêva,
Considérez que c'est une chose bien triste
    De le voir qui s'en va !   160

(*Les contemplations*, IV, 15.)

---

1. (Vers 1-25). Pourquoi Victor Hugo a-t-il absolument besoin de la nature en ce moment ? Distinguez les raisons physiques, morales, philosophiques.

2. Pourquoi toutes ces répétitions de *je conviens*, *je dis*, *je sais*, etc., dans les vers 32 à 56 ? Que nous révèlent-elles ? Quels noms différents Victor Hugo donne-t-il à Dieu ? Pourquoi peut-il dire certains de ces noms et pas d'autres ?

        ...

Pourquoi ajoute-t-il, lorsqu'il dit *père*, les mots *auquel il faut croire* ?

3. Relevez toutes les raisons par lesquelles Victor Hugo tente de justifier le mal. Distinguez les explications proprement religieuses et les simples constatations de ce qui est. Montrez que certaines de ces constatations et explications, même celles qui pouvaient paraître les plus claires, se changent soudain en cris de douleur ou de révolte.

4. Victor Hugo vous paraît-il croire véritablement ou non à une vie future où il pourrait retrouver Léopoldine ? Dans quelles strophes, très différentes, évoque-t-il le sort possible de la jeune fille ? Pense-t-il qu'elle vit encore, ou qu'elle *dort pour jamais* ?

5. Quelles sont les différentes phases de cette longue méditation douloureuse ? Comment s'enchaînent-elles ? Le poème a-t-il une conclusion à votre avis, — philosophique ? psychologique ?

6. Victor Hugo dans ce poème n'évoque absolument pas le Christ. Pourquoi, à votre avis ?

(Il a tenu pourtant à faire figurer dans *Les contemplations*, mais en le datant de 1842, date antérieure à la mort de Léopoldine, ce beau quatrain composé en réalité en 1847, *Écrit au bas d'un crucifix* :

Vous qui pleurez, venez à ce Dieu, car il pleure.
Vous qui souffrez, venez à lui, car il guérit.
Vous qui tremblez, venez à lui, car il sourit.
Vous qui passez, venez à lui, car il demeure.

A Michelet qui lui demande en 1856 de supprimer ce quatrain parce que l'on se sert désormais du crucifix, dit-il, pour *frapper sur la tête* des hommes, Victor Hugo répond : « Oui, l'on en martèle les crânes pour y tuer l'idée ; mon sentiment est le même que le vôtre... Mais je ne puis oublier que Jésus a été une incarnation saignante du progrès ; je le retire au prêtre... et je décloue le Christ du christianisme... Quant à ce mot, *Dieu* ou *demi-Dieu*, appliqué à un homme, si vous allez jusqu'à *Ce que dit la bouche d'ombre*, vous verrez, — et vous pressentez certainement, même sans lire cela, — dans quel sens je l'emploie.)

7. (oralement) Pourquoi Victor Hugo a-t-il alterné les strophes 12-6-12-6 et les strophes 12-12-12-12 ? Donnez quelques exemples des effets produits. Notez les images, les coupes, les rejets, les enjambements, les mots sur lesquels il faut insister à votre avis. Essayez de lire le poème pour vous seul, à haute voix, le mieux possible.

L'ESCLAVAGE DES ENFANTS

Il a fallu une loi, en 1840, pour interdire le travail, dans les manufactures, *des enfants de moins de 8 ans*. A partir de 8 ans, on pouvait les employer huit heures dans les grandes entreprises, davantage en fait dans les petites usines. On devine les résultats de cet esclavage : le rachitisme, l'abrutissement, la désespérance, abominable chez les enfants, — une mortalité énorme.

Où vont tous ces enfants dont pas un seul ne rit ?
Ces doux êtres pensifs que la fièvre maigrit ?
Ces filles de huit ans qu'on voit cheminer seules ?
Ils s'en vont travailler quinze heures sous des meules ;
Ils vont, de l'aube au soir, faire éternellement
Dans la même prison le même mouvement,
Accroupis sous les dents d'une machine sombre,
Monstre hideux qui mâche on ne sait quoi dans
                                l'ombre,
Innocents dans un bagne, anges dans un enfer,
Ils travaillent. Tout est d'airain, tout est de fer.
Jamais on ne s'arrête et jamais on ne joue.
Aussi quelle pâleur ! La cendre est sur leur joue.
Il fait à peine jour, ils sont déjà bien las.
Ils ne comprennent rien à leur destin, hélas !
Ils semblent dire à Dieu : Petits comme nous sommes,
Notre père, voyez ce que nous font les hommes !
O servitude infâme imposée à l'enfant !
Rachitisme ! travail dont le souffle étouffant
Défait ce qu'a fait Dieu, qui tue, œuvre insensée,
La beauté sur les fronts, dans les cœurs la pensée,
Et qui ferait — c'est là son fruit le plus certain ! —
D'Apollon un bossu, de Voltaire un crétin !
Travail mauvais qui prend l'âge tendre en sa serre,
Qui produit la richesse en créant la misère,
Qui se sert d'un enfant ainsi que d'un outil !
Progrès dont on demande : Où va-t-il ? que veut-il ?
Qui brise la jeunesse en fleur ! qui donne, en somme,
Une âme à la machine et la retire à l'homme !
Que ce travail, haï des mères, soit maudit !
Maudit comme le vice où l'on s'abâtardit,

Le thème du mal

Maudit comme l'opprobre et comme le blasphème !
O Dieu ! qu'il soit maudit au nom du travail même,
Au nom du vrai travail, saint, fécond, généreux,
Qui fait le peuple libre et qui rend l'homme heureux !

(Les contemplations, Melancholia, III, 2).

Cl. Radio-Times

Des milliers d'enfants étaient utilisés avant 1840 pour tirer les wagonnets de charbon dans les galeries trop basses pour les chevaux.

120

LA SOUFFRANCE DES ANIMAUX

Ce poème, tiré de *Melancholia*, (Livre III des
Contemplations) pose un problème plus difficile encore
que celui de la souffrance des enfants innocents
dans l'hypothèse d'un Dieu tout-puissant et parfaitement bon, — celui de la souffrance des animaux,
pour lesquels aucune compensation de bonheur dans
une vie future n'est envisagée dans la plupart des
religions.

Le pesant chariot porte une énorme pierre ;
Le limonier, suant du mors à la croupière,
Tire, et le roulier fouette, et le pavé glissant
Monte, et le cheval triste a le poitrail en sang.
Il tire, traîne, geint, tire encore, et s'arrête.
Le fouet noir tourbillonne au-dessus de sa tête ;
C'est lundi ; l'homme hier buvait aux Porcherons
Un vin plein de fureur, de cris et de jurons ;
Oh ! quelle est donc la loi formidable qui livre
L'être à l'être, et la bête effarée à l'homme ivre ?
L'animal éperdu ne peut plus faire un pas ;
Il sent l'ombre sur lui peser ; il ne sait pas,
Sous le bloc qui l'écrase et le fouet qui l'assomme,
Ce que lui veut la pierre et ce que lui veut l'homme.
Et le roulier n'est plus qu'un orage de coups
Tombant sur ce forçat qui traîne les licous,
Qui souffre, et ne connaît ni repos ni dimanche.
Si la corde se casse, il frappe avec le manche,
Et, si le fouet se casse, il frappe avec le pied ;
Et le cheval, tremblant, hagard, estropié,
Baisse son cou lugubre et sa tête égarée ;
On entend, sous les coups de la botte ferrée,
Sonner le ventre nu du pauvre être muet ;
Il râle ; tout à l'heure encore il remuait,
Mais il ne bouge plus et sa force est finie.
Et les coups furieux pleuvent ; son agonie
Tente un dernier effort ; son pied fait un écart,
Il tombe, et le voilà brisé sous le brancard ;
Et, dans l'ombre, pendant que son bourreau
                              [redouble,
Il regarde Quelqu'un de sa prunelle trouble ;

Et l'on voit lentement s'éteindre, humble et terni,
Son œil plein des stupeurs sombres de l'infini,
Où luit vaguement l'âme effrayante des choses.
Hélas !
                                                    180

(*Les contemplations, Melancholia*, III, 2).

Ces derniers vers suggèrent dans leur réalisme même, avec une discrétion admirable, la solution désormais entrevue par Victor Hugo au problème du mal. *La Bouche d'Ombre* vient de révéler à son Mage, à Jersey, quelques profondeurs du mystère :

1° d'une part, l'imparfait est la loi nécessaire du monde puisqu'il a été créé ;

2° d'autre part, toutes les injustices apparentes sont en réalité des « justices » : chacune des créatures de l'univers, sans exception, anges, hommes, enfants, animaux, plantes, terres, cailloux, est châtiée ou récompensée dans son existence actuelle des actions bonnes ou mauvaises qu'elle a accomplies dans une existence antérieure ; chacune des créatures monte ou descend dans l'échelle des êtres et du bonheur exactement selon ce qu'elle a fait de bien ou de mal. Dieu reste donc bien par conséquent à la fois le Tout-Puissant et le Parfaitement Bon. Ce sont nos actions qui nous jugent ; tout bonheur est une récompense, tout malheur est une expiation et aucune de ces expiations n'est éternelle ; l'univers entier sera finalement sauvé par l'amour.

« L'Inde a presque entrevu cette métempsychose », nous dit Victor Hugo. " Tout est plein d'âmes" ».

« FAITES DES LOIS CONTRE LA MISÈRE »

Ses croyances mystiques ne détournent pas Victor Hugo de l'action terrestre, au contraire : quel que soit l'avenir infini, notre tâche d'homme est de faire actuellement ce qui est possible pour les hommes. C'est son discours contre la misère, le 9 juillet 1849, qui marque la rupture violente de Victor Hugo avec la droite, dont il vient de dénoncer les manœuvres. Désormais, en France et en exil, il ne cessera plus de mettre son influence non seulement au service de la liberté mais à celui de la justice.

Trouvez bon, messieurs, que je complète ma pensée. Je vois à l'agitation de l'assemblée que je ne suis pas pleinement compris. La question qui s'agite est grave. C'est la plus grave de toutes celles qui peuvent être traitées devant vous.

Je ne suis pas, messieurs, de ceux qui croient qu'on peut supprimer la souffrance en ce monde, la souffrance est une loi divine, mais je suis de ceux qui pensent et qui affirment qu'on peut détruire la misère. (*Réclamations. — Violentes dénégations à droite*).

Remarquez-le bien, messieurs, je ne dis pas diminuer, amoindrir, limiter, circonscrire, je dis détruire. (*Nouveaux murmures à droite*). La misère est une maladie du corps social comme la lèpre était une maladie du corps humain ; la misère peut disparaître comme la lèpre a disparu (*Oui ! oui ! à gauche*). Détruire la misère ! oui, cela est possible. Les législateurs et les gouvernants doivent y songer sans cesse ; car, en pareille matière, tant que le possible n'est pas fait, le devoir n'est pas rempli. (*Sensation universelle*).

La misère, messieurs, j'aborde ici le vif de la question, voulez-vous savoir où elle en est, la misère ? Voulez-vous savoir jusqu'où elle peut aller, jusqu'où elle va, je ne dis pas en Irlande, je ne dis pas au moyen âge, je dis en France, je dis à Paris, et au temps où nous vivons ? Voulez-vous des faits ?

Il y a dans Paris... (*L'orateur s'interrompt*).

Mon Dieu, je n'hésite pas à les citer, ces faits. Ils sont tristes, mais nécessaires à révéler ; et tenez, s'il faut dire toute ma pensée, je voudrais qu'il sortît de cette assemblée, et au besoin j'en ferai la proposition formelle, une grande et solennelle enquête sur la situation vraie des classes laborieuses et souffrantes en France. Je voudrais que tous les faits éclatassent au grand jour. Comment veut-on guérir le mal si l'on ne sonde pas les plaies ? (*Très bien ! très bien !*)

Voici donc ces faits.

Il y a dans Paris, dans ces faubourgs de Paris que le vent de l'émeute soulevait naguère si aisément, il y a des rues, des maisons, des cloaques, où des familles, des familles entières, vivent pêle-mêle, hommes, femmes, jeunes filles, enfants, n'ayant pour lits, n'ayant pour couvertures, j'ai presque dit pour vêtements, que des monceaux infects de chiffons en fermentation, ramassés dans la fange du coin des bornes, espèce de fumier des villes, où des créatures humaines s'enfouissent toutes vivantes pour échapper au froid de l'hiver. (*Mouvement*).

Voilà un fait. En voici d'autres. Ces jours derniers, un homme, mon Dieu, un malheureux homme de lettres, car la misère n'épargne pas plus les professions libérales que les professions manuelles, un malheureux homme est mort de faim, mort de faim à la lettre, et l'on a constaté, après sa mort, qu'il n'avait pas mangé depuis six jours. (*Longue interruption*). Voulez-vous quelque chose de plus douloureux encore ? Le mois passé, pendant la recrudescence du choléra, on a trouvé une mère et ses quatre enfants qui cherchaient leur nourriture dans les débris immondes et pestilentiels des charniers de Montfaucon ! (*Sensation*).

Eh bien, messieurs, je dis que ce sont là des choses qui ne doivent pas être ; je dis que la société doit dépenser toute sa force, toute sa sollicitude, toute son intelligence, toute sa volonté, pour que de telles choses ne soient pas ! Je dis que de tels faits, dans un pays civilisé, engagent la conscience de la société tout entière ; que je m'en sens, moi qui parle, complice et solidaire *(mouvement)*, et que de tels faits ne sont pas seulement des torts envers l'homme, que ce sont des crimes envers Dieu ! (*Sensation prolongée*).

Voilà pourquoi je suis pénétré, voilà pourquoi je voudrais pénétrer tous ceux qui m'écoutent de la haute importance de la proposition qui vous est soumise. Ce n'est qu'un premier pas, mais il est décisif. Je voudrais que cette assemblée, majorité et minorité, n'importe, je ne connais pas, moi, de majorité et de minorité en de telles questions ; je voudrais que cette assemblée n'eût qu'une seule âme pour marcher à ce grand but, à ce but magnifique, à ce but sublime, l'abolition de la misère ! (*Bravo !* — *Applaudissements*).

Et, messieurs, je ne m'adresse pas seulement à votre générosité, je m'adresse à ce qu'il y a de plus sérieux dans le sentiment politique d'une assemblée de législateurs. Et, à ce sujet, un dernier mot, je terminerai par là.

Messieurs, comme je vous le disais tout à l'heure, vous venez, avec le concours de la garde nationale, de l'armée et de toutes les forces vives du pays, vous venez de raffermir l'État ébranlé encore une fois. Vous n'avez reculé devant aucun péril, vous n'avez hésité devant aucun devoir. Vous avez sauvé la société régulière, le gouvernement légal, les institutions, la paix publique, la civilisation même. Vous avez fait une chose considérable... Eh bien ! vous n'avez rien fait ! (*Mouvement*).

Vous n'avez rien fait, j'insiste sur ce point, tant que l'ordre matériel raffermi n'a point pour base l'ordre moral consolidé ! (*Très bien ! très bien !* — *Vive et unanime adhésion*). Vous n'avez rien fait tant que le peuple souffre ! (*Bravos à gauche*). Vous n'avez rien fait tant qu'il y a au-dessous de vous une partie du peuple qui désespère ! Vous n'avez rien fait, tant que ceux qui sont dans la force de l'âge et qui travaillent peuvent être sans pain ! tant que ceux qui sont vieux et qui ont travaillé peuvent être sans asile ! tant que l'usure dévore nos campagnes, tant qu'on meurt de faim dans nos villes (*mouvement prolongé*), tant qu'il n'y a pas des lois fraternelles, des lois évangéliques qui viennent de toutes parts en aide aux pauvres familles honnêtes, aux bons paysans, aux bons ouvriers, aux gens de cœur ! (*Acclamation*). Vous n'avez rien fait, tant que l'esprit de révolution a pour auxiliaire la souffrance publique ! Vous n'avez rien fait, rien fait, tant que, dans cette œuvre de destruction et de ténèbres qui se continue souterrainement, l'homme méchant a pour collaborateur fatal l'homme malheureux !

Vous le voyez, messieurs, je le répète en terminant, ce n'est pas seulement à votre générosité que je m'adresse, c'est à votre sagesse, et je vous conjure d'y réfléchir. Messieurs, songez-y, c'est l'anarchie qui ouvre les abîmes, mais c'est la misère qui les creuse. (*c'est vrai ! c'est vrai !*) Vous avez fait des lois contre l'anarchie, faites maintenant des lois contre la misère !

(*Actes et paroles*, Discours du 9-7-49).

Alfred de Vigny

LE MONT DES OLIVIERS

Obsédés par le problème du mal, les poètes romantiques ont médité aussi, longuement, sur la personne et l'enseignement du Christ. Se fondant sur les paroles mêmes de l'Évangile (il les cite en marge de son manuscrit), Vigny ne peut admettre que celui qui donnait son sang pour les hommes ait accepté réellement de les laisser dans le doute, l'ignorance, l'injustice. Si Jésus a laissé échapper de ses lèvres, avant de mourir, la plainte que nous rapporte saint Marc : « Mon Dieu, mon Dieu, pourquoi m'avez-vous abandonné ? », c'est parce qu'à ses yeux, estime-t-il, la rédemption, comme la création jadis [1], est manquée, puisque Dieu refuse de répondre à l'angoisse des hommes. « Vous nous avez laissés dans l'incertitude,

---

1. « Il est certain que la création est une œuvre manquée, ou à demi accomplie, et marchant vers sa perfection à grand peine. » (*Journal d'un poète*, 1835).

Seigneur, votre Fils vous supplia en vain au Jardin des Oliviers »[1].

Vingt ans plus tard en 1862, Vigny ajoutera à son poème, peu avant de mourir, les huit vers souverains qui expriment, après les longues méditations du *Journal d'un poète*, sa volonté résolue, d'abord, de dignité humaine. Il annonce déjà, dans son dédain, la révolte de quelques-uns de nos plus grands écrivains actuels.

I

Alors il était nuit, et Jésus marchait seul,
Vêtu de blanc ainsi qu'un mort de son linceul ;
Les disciples dormaient au pied de la colline,
Parmi les oliviers, qu'un vent sinistre incline ;
Jésus marche à grands pas en frémissant comme eux ; 5
Triste jusqu'à la mort, l'œil sombre et ténébreux,
Le front baissé, croisant les deux bras sur sa robe
Comme un voleur de nuit cachant ce qu'il dérobe[2].
Connaissant les rochers mieux qu'un sentier uni,
Il s'arrête en un lieu nommé Gethsémani.   10
Il se courbe à genoux, le front contre la terre ;
Puis regarde le ciel en appelant : « Mon Père » !
— Mais le ciel reste noir, et Dieu ne répond pas.
Il se lève étonné, marche encore à grands pas,
Froissant les oliviers qui tremblent. Froide et lente 15
Découle de sa tête une sueur sanglante.
Il recule, il descend, il crie avec effroi :
« Ne pourriez-vous prier et veiller avec moi ? »
Mais un sommeil de mort accable les apôtres.
Pierre à la voix du maître est sourd comme les autres. 20
Le Fils de l'Homme alors remonte lentement ;
Comme un pasteur d'Égypte, il cherche au firmament
Si l'Ange ne luit pas au fond de quelque étoile.
Mais un nuage en deuil s'étend comme le voile
D'une veuve, et ses plis entourent le désert.   25
Jésus, se rappelant ce qu'il avait souffert

---

1. *Journal d'un poète*, 1838.
2. Comparaison assez étrange, inspirée de saint Paul : « Le jour du Seigneur vient comme un voleur de nuit. »

Depuis trente-trois ans, devint homme, et la crainte
Serra son cœur mortel d'une invincible étreinte.
Il eut froid. Vainement, il appela trois fois :
« Mon Père ! » Le vent seul répondit à sa voix.   30
Il tomba sur le sable assis, et, dans sa peine,
Eut sur le monde et l'homme une pensée humaine.
— Et la terre trembla, sentant la pesanteur
Du Sauveur qui tombait aux pieds du Créateur.

II

Jésus disait : « O Père, encor laisse-moi vivre !...
Mal et Doute ! En un mot je puis les mettre en poudre.
Vous les aviez prévus, laissez-moi vous absoudre
De les avoir permis. — C'est l'accusation
Qui pèse de partout sur la création ! —   90
Sur son tombeau désert faisons monter Lazare.
Du grand secret des morts qu'il ne soit plus avare,
Et de ce qu'il a vu donnons-lui souvenir ;
Qu'il parle. — Ce qui dure et ce qui doit finir,
Ce qu'a mis le Seigneur au cœur de la Nature,   95
Ce qu'elle prend et donne à toute créature,
Quels sont avec le ciel ses muets entretiens,
Son amour ineffable et ses chastes liens,
Comment tout s'y détruit et tout s'y renouvelle ;
Pourquoi ce qui s'y cache et ce qui s'y révèle ;   100
Si les astres des cieux tour à tour éprouvés
Sont comme celui-ci coupables et sauvés ;
Si la terre est pour eux ou s'ils sont pour la terre ;
Ce qu'a de vrai la fable et de clair le mystère,
D'ignorant le savoir et de faux la raison ;   105
Pourquoi l'âme est liée en sa faible prison,
Et pourquoi nul sentier entre deux larges voies,
Entre l'ennui du calme et des paisibles joies
Et la rage sans fin des vagues passions,
Entre la léthargie et les convulsions ;   110
Et pourquoi pend la Mort comme une sombre épée
Attristant la Nature à tout moment frappée ;
Si le juste et le bien, si l'injuste et le mal
Sont de vils accidents en un cercle fatal,
Ou si de l'univers ils sont les deux grands pôles,   115

Soutenant terre et cieux sur leurs vastes épaules ;
Et pourquoi les Esprits du Mal sont triomphants
Des maux immérités, de la mort des enfants ;
Et si les Nations sont des femmes guidées
Par les étoiles d'or des divines idées,   120
Ou de folles enfants sans lampes dans la nuit,
Se heurtant et pleurant, et que rien ne conduit ;
Et si, lorsque des temps l'horloge périssable
Aura jusqu'au dernier versé ses grains de sable,
Un regard de vos yeux, un cri de votre voix,   125
Un soupir de mon cœur, un signe de ma croix,
Pourra faire ouvrir l'ongle aux Peines éternelles,
Lâcher leur proie humaine et reployer leurs ailes.
— Tout sera révélé dès que l'homme saura
De quels lieux il arrive et dans quels il ira. »   130

III

Ainsi le divin Fils parlait au divin Père.
Il se prosterne encor, il attend, il espère,
Mais il renonce et dit : « Que votre volonté
Soit faite et non la mienne, et pour l'éternité ! »
Une terreur profonde, une angoisse infinie   135
Redoublent sa torture et sa lente agonie.
Il regarde longtemps, longtemps cherche sans voir.
Comme un marbre de deuil tout le ciel était noir ;
La Terre, sans clarté, sans astre et sans aurore,
Et sans clartés de l'âme ainsi qu'elle est encore,   140
Frémissait. — Dans le bois il entendit des pas,
Et puis il vit rôder la torche de Judas.

Le silence

S'il est vrai qu'au Jardin sacré des Écritures,
Le Fils de l'homme ait dit ce qu'on voit rapporté ;
Muet, aveugle et sourd au cri des créatures,   145
Si le Ciel nous laissa comme un monde avorté,
Le juste opposera le dédain à l'absence,
Et ne répondra plus que par un froid silence
Au silence éternel de la Divinité.

(Les destinées).

Cl. Bulloz

Le Christ au Jardin des Oliviers.

par Montenard (Tours, Musée de Beaux-Arts)

Gérard de Nerval

LE CHRIST AUX OLIVIERS

La célèbre formule « Dieu est mort », souvent attribuée à Nietzsche, est en réalité bien antérieure. On la rencontre déjà à la fin de l'antiquité païenne, et, à notre époque, comme l'indique Gérard de Nerval, dans le saisissant *Discours du Christ mort* de l'écrivain allemand Jean-Paul Richter, qu'avait fait connaître Madame de Staël[1]. Jean-Paul tient à préciser d'ailleurs qu'il nous rapporte seulement un songe ; il a vu dans l'un de ses rêves, un soir d'été, le Christ, quelque temps après sa mort, annoncer aux ombres des vivants une *nouvelle* terrible, l'opposé même de la *Bonne Nouvelle* de l'Évangile : nulle part dans l'univers il n'a rencontré Dieu. Les enfants décédés, à leur tour, l'interrogent avec angoisse ; « Jésus n'avons-nous pas de père ? » Jésus leur répond " dans un torrent de larmes " : « Nous sommes tous orphelins ; moi et vous nous n'avons point de père ».

Nerval, dans les deuxième et troisième sonnets de son poème, s'inspire directement de Jean-Paul mais il supprime le songe. Comme dans l'évocation d'Alfred de Vigny, c'est au Jardin même des Oliviers que Jésus, abandonné par les siens, découvre avec angoisse que Dieu non plus ne lui répond pas, que personne ne fait écho à ses cris.

Dieu est mort ! le ciel est vide...
Pleurez ! enfants, vous n'avez plus de père !

JEAN-PAUL

I

Quand le Seigneur, levant au ciel ses maigres bras
Sous les arbres sacrés, comme font les poètes,

---

1. Mais Jean-Paul Richter critiqua vigoureusement la traduction tronquée de Madame de Staël.

Se fut longtemps perdu dans ses douleurs muettes,
Et se jugea trahi par des amis ingrats ;

Il se tourna vers ceux qui l'attendaient en bas
Rêvant d'être des rois, des sages, des prophètes...
Mais engourdis, perdus dans le sommeil des bêtes,
Et se prit à crier : « Non, Dieu n'existe pas ! »

Ils dormaient. « Mes amis, savez-vous *la nouvelle ?*
J'ai touché de mon front à la voûte éternelle ;
Je suis sanglant, brisé, souffrant pour bien des jours !

» Frères, je vous trompais : Abîme ! abîme ! abîme !
Le dieu manque à l'autel où je suis la victime...
Dieu n'est pas ! Dieu n'est plus ! » Mais ils dormaient
toujours !...

II

Il reprit : « Tout est mort ! J'ai parcouru les mondes ;
Et j'ai perdu mon vol dans leurs chemins lactés,
Aussi loin que la vie, en ses veines fécondes,
Répand des sables d'or et des flots argentés :

» Partout le sol désert côtoyé par des ondes,
Des tourbillons confus d'océans agités...
Un souffle vague émeut les sphères vagabondes,
Mais nul esprit n'existe en ces immensités.
» En cherchant l'œil de Dieu, je n'ai vu qu'une orbite
Vaste, noire et sans fond, d'où la nuit qui l'habite
Rayonne sur le monde et s'épaissit toujours ;

» Un arc-en-ciel étrange entoure ce puits sombre,
Seuil de l'ancien chaos dont le néant est l'ombre,
Spirale engloutissant les Mondes et les Jours !

III

« Immobile Destin, muette sentinelle,
Froide Nécessité !... Hasard qui t'avançant
Parmi les mondes morts sous la neige éternelle,
Refroidis, par degrés l'univers pâlissant,

» Sais-tu ce que tu fais, puissance originelle,
De tes soleils éteints, l'un l'autre se froissant...

Es-tu sûr de transmettre une haleine immortelle,
Entre un monde qui meurt et l'autre renaissant ?...

» O mon père ! est-ce toi que je sens en moi-même ?
As-tu pouvoir de vivre et de vaincre la mort ?
Aurais-tu succombé sous un dernier effort

» De cet ange des nuits que frappa l'anathème ?...
Car je me sens tout seul à pleurer et souffrir,
Hélas ! et, si je meurs, c'est que tout va mourir ! »

IV

Nul n'entendait gémir l'éternelle victime,
Livrant au monde en vain tout son cœur épanché ;
Mais prêt à défaillir et sans force penché,
Il appela le *seul* — éveillé dans Solyme :

« Judas ! lui cria-t-il, tu sais ce qu'on m'estime,
Hâte-toi de me vendre, et finis ce marché :
Je suis souffrant, ami ! sur la terre couché...
Viens ! ô toi qui, du moins, as la force du crime ! »

Mais Judas s'en allait, mécontent et pensif,
Se trouvant mal payé, plein d'un remords si vif
Qu'il lisait ses noirceurs sur tous les murs écrites...

Enfin Pilate seul, qui veillait pour César,
Sentant quelque pitié, se tourna par hasard :
« Allez chercher ce fou ! » dit-il aux satellites.

Nerval termine son poème par un dernier sonnet d'un syncrétisme[1] étrange. Le Dieu créateur « celui qui donna l'âme aux enfants du limon, a disparu, mais une nouvelle religion va naître du Calvaire, un nouveau médiateur sublime, insensé, perdu, va incarner les rêves des hommes comme jadis Icare, Phaëton, Atys...

---

1. Syncrétisme : combinaison plus ou moins cohérente de grandes conceptions diverses.

C'était bien lui, ce fou, cet insensé sublime...
Cet Icare oublié qui remontait les cieux,
Ce Phaéton perdu sous la foudre des dieux,
Ce bel Atys meurtri que Cybèle ranime !

L'augure interrogeait le flanc de la victime,
La terre s'enivrait de ce sang précieux...
L'univers étourdi penchait sur ses essieux,
Et l'Olympe un instant chancela vers l'abîme.

« Réponds ! criait César à Jupiter Ammon,
Quel est ce nouveau dieu qu'on impose à la terre ?
Et si ce n'est un dieu, c'est au moins un démon... »

Mais l'oracle invoqué pour jamais dut se taire ;
Un seul pouvait au monde expliquer ce mystère :
— Celui qui donna l'âme aux enfants du limon.

> L'année suivante, le poète exprimera, dans l'admirable sonnet *Vers dorés*, la conception panthéiste et pythagoricienne du monde, la possibilité ressentie dix ans avant *La Bouche d'Ombre*, que tout soit « plein d'âmes »[2]. (Voir plus haut, p. 122).
>
> « Mais, Gérard, vous n'avez aucune religion ? » lui avait dit quelqu'un un soir, précisément chez Victor Hugo. Il avait répondu : « Moi, pas de religion ? J'en ai 17... au moins ! »

Eh quoi ! tout est sensible !
PYTHAGORE

Homme ! libre penseur — te crois-tu seul pensant
Dans ce monde où la vie éclate en toute chose :
Des forces que tu tiens ta liberté dispose,
Mais de tous tes conseils l'univers est absent.

Respecte dans la bête un esprit agissant : ...
Chaque fleur est une âme à la Nature éclose ;
Un mystère d'amour dans le métal repose :
«Tout est sensible !» — Et tout sur ton être est puissant !

Crains dans le mur aveugle un regard qui t'épie :
A la matière même un verbe est attaché...
Ne la fais pas servir à quelque usage impie !

Souvent dans l'être obscur habite un Dieu caché ;
Et comme un œil naissant couvert par ses paupières,
Un pur esprit s'accroît sous l'écorce des pierres !

(*Les chimères*).

Baudelaire

Fleurs du mal, dit le titre ; *fleurs maladives*, confesse la dédicace. Baudelaire a-t-il voulu, comme il l'a dit — des poètes illustres s'étant partagé depuis longtemps les provinces les plus illustres du domaine poétique — cultiver simplement un domaine nouveau, « extraire la beauté du mal » ? Non. Presque tous les poèmes témoignent d'un appel désespéré : « Faut-il vous dire, à vous qui ne l'avez pas plus deviné que les autres, que dans ce livre *atroce*, j'ai mis *tout mon cœur, toute ma tendresse, toute ma religion (travestie)*[1], *toute ma haine ?* Il est vrai que j'écrirai le contraire, que je jurerai mes grands dieux que c'est un livre *d'art pur*, de singerie, de jonglerie, et je mentirai comme un arracheur de dents. »

Il est difficile de choisir parmi ces chefs-d'œuvre du désespoir, toujours si proches de nous. Nous donnerons seulement un des derniers poèmes en prose, *Mademoiselle Bistouri*, appel à la pitié de Dieu[1], et le poème ultime des *Fleurs du mal*, l'appel à la mort.

MADEMOISELLE BISTOURI

Comme j'arrivais à l'extrémité du faubourg sous les éclairs du gaz, je sentis un bras qui se coulait

---

1. « Je désire de tout mon cœur (avec quelle sincérité, personne ne peut le savoir que moi) croire qu'un être extérieur et invisible s'intéresse à ma destinée, mais comment faire pour le croire. » (Lettre à sa mère du 6 mai 1861).

doucement sous le mien, et j'entendis une voix qui me disait à l'oreille : « Vous êtes médecin, monsieur ? »

Je regardai ; c'était une grande fille, robuste, aux yeux très ouverts, légèrement fardée, les cheveux flottant au vent avec les brides de son bonnet.

« — Non ; je ne suis pas médecin. Laissez-moi passer.

— Oh ! si ! vous êtes médecin. Je le vois bien. Venez chez moi. Vous serez bien content de moi, allez ! — Sans doute j'irai vous voir, mais plus tard, *après le médecin*, que diable !... — Ah ! ah ! — fit-elle, toujours suspendue à mon bras, et en éclatant de rire, — vous êtes un médecin farceur, j'en ai connu plusieurs dans ce genre-là. Venez. »

J'aime passionnément le mystère, parce que j'ai toujours l'espoir de le débrouiller. Je me laissai donc entraîner par cette compagne, ou plutôt par cette énigme inespérée.

J'omets la description du taudis ; on peut la trouver dans plusieurs vieux poètes français bien connus. Seulement, détail non aperçu par Régnier, deux ou trois portraits de docteurs célèbres étaient suspendus aux murs.

Comme je fus dorloté ! Grand feu, vin chaud, cigares ; et en m'offrant ces bonnes choses et en allumant elle-même un cigare, la bouffonne créature me disait : « Faites comme chez vous, mon ami, mettez-vous à l'aise. Ça vous rappellera l'hôpital et le bon temps de la jeunesse. — Ah çà ! où donc avez-vous gagné ces cheveux blancs ? Vous n'étiez pas ainsi, il n'y a pas encore bien longtemps, quand vous étiez interne de L... Je me souviens que c'était vous qui l'assistiez dans les opérations graves. En voilà un homme qui aime couper, tailler et rogner ! C'était vous qui lui tendiez les instruments, les fils et les éponges. — Et comme, l'opération faite, il disait fièrement, en regardant sa montre :

« Cinq minutes, messieurs ! » — Oh ! moi, je vais partout. Je connais bien ces messieurs ».

Quelques instants plus tard, me tutoyant, elle reprenait son antienne, et me disait : « Tu es médecin, n'est-ce pas, mon chat ? »

Cet inintelligible refrain me fit sauter sur mes jambes. « Non ! criai-je furieux.

— Chirurgien, alors ?

— Non ! non ! à moins que ce ne soit pour te couper la tête ! S... s... c... de s... m...[1] !

— Attends, reprit-elle, tu vas voir. »

Et elle tira de l'armoire une liasse de papiers, qui n'était autre chose que la collection des portraits de médecins illustres de ce temps, lithographiés par Maurin, qu'on a pu voir étalée pendant plusieurs années sur le quai Voltaire.

« Tiens ! le reconnais-tu celui-ci ?

— Oui ; c'est X. Le nom est au bas d'ailleurs ; mais je le connais personnellement.

— Je savais bien ! Tiens ! voilà Z., celui qui disait à son cours, en parlant de X. : « Ce monstre qui porte sur son visage la noirceur de son âme ! » Tout cela, parce que l'autre n'était pas de son avis dans la même affaire ! Comme on riait de ça à l'Ecole, dans le temps ! Tu t'en souviens ? — Tiens, voilà K., celui qui dénonçait au gouvernement les insurgés qu'il soignait à son hôpital. C'était le temps des émeutes. Comment est-ce possible qu'un si bel homme ait si peu de cœur ? — Voici maintenant W, un fameux médecin anglais ; je l'ai attrapé à son voyage à Paris. Il a l'air d'une demoiselle, n'est-ce pas ? »

Et comme je touchais à un paquet ficelé, posé aussi sur le guéridon : « Attends un peu, — dit-elle ; ça, c'est les internes, et ce paquet-ci, c'est les externes. »

---

1. Sacré Saint Ciboire de Sacrée Maquerelle.

Et elle déploya en éventail une masse d'images photographiques, représentant des physionomies beaucoup plus jeunes.

« Quand nous nous reverrons, tu me donneras ton portrait, n'est-ce pas, chéri ?

— Mais, lui dis-je, suivant à mon tour, moi aussi, mon idée fixe, pourquoi me crois-tu médecin ?

— C'est que tu es si gentil et si bon pour les femmes ! « Singulière logique ! » me dis-je à moi-même.

— Oh ! je ne m'y trompe guère ; j'en ai connu un bon nombre. J'aime tant ces messieurs, que, bien que je ne sois pas malade, je vais quelquefois les voir, rien que pour les voir. Il y en a qui me disent froidement : « Vous n'êtes pas malade du tout ! » Mais il y en a d'autres qui me comprennent, parce que je leur fais des mines.

— Et quand ils ne te comprennent pas... ?

— Dame ! comme je les ai dérangés *inutilement,* je laisse dix francs sur la cheminée. — C'est si bon et si doux, ces hommes-là ! — J'ai découvert à la Pitié un petit interne, qui est joli comme un ange, et qui est poli ! et qui travaille, le pauvre garçon ! Ses camarades m'ont dit qu'il n'avait pas le sou, parce que ses parents sont des pauvres qui ne peuvent rien lui envoyer. Cela m'a donné confiance. Après tout, je suis assez belle femme, quoique pas trop jeune. Je lui ai dit : « Viens me voir, viens me voir souvent. Et avec moi, ne te gêne pas ; je n'ai pas besoin d'argent. » Mais tu comprends que je lui ai fait entendre ça par une foule de façons ; je ne le lui ai pas dit tout crûment ; j'avais si peur de l'humilier, ce cher enfant ! — Eh bien ! croirais-tu que j'ai une drôle d'envie que je n'ose pas lui dire ? — Je voudrais qu'il vînt me voir avec sa trousse et son tablier, même avec un peu de sang dessus ! »

Elle dit cela d'un air fort candide, comme un homme sensible dirait à une comédienne qu'il aimerait : « Je veux vous voir vêtue du costume que vous portiez dans ce fameux rôle que vous avez créé. »

Moi, m'obstinant, je repris : « Peux-tu te souvenir de l'époque et de l'occasion où est née en toi cette passion si particulière ? »

Difficilement je me fis comprendre ; enfin j'y parvins. Mais alors elle me répondit d'un air très triste, et même, autant que je peux me souvenir, en détournant les yeux : « Je ne sais pas... je ne me souviens pas. »

Quelles bizarreries ne trouve-t-on pas dans une grande ville, quand on sait se promener et regarder ? La vie fourmille de monstres innocents. — Seigneur, mon Dieu ! vous, le Créateur, vous, le Maître ; vous qui avez fait la Loi et la Liberté ; vous, le souverain qui laissez faire, vous, le juge, qui pardonnez ; vous qui êtes plein de motifs et de causes, et qui avez peut-être mis dans mon esprit le goût de l'horreur pour convertir mon cœur, comme la guérison au bout d'une lame ; Seigneur, ayez pitié, ayez pitié des fous et des folles ! O Créateur ! peut-il exister des monstres aux yeux de Celui-là seul qui sait pourquoi ils existent, comment ils *se sont faits* et comment ils auraient pu *ne pas se faire ?*

(*Le spleen de Paris*, 47).

LE VOYAGE

I

Pour l'enfant, amoureux de cartes et d'estampes,
L'univers est égal à son vaste appétit.
Ah ! que le monde est grand à la clarté des lampes !
Aux yeux du souvenir que le monde est petit !

Un matin nous partons, le cerveau plein de flamme,
Le cœur gros de rancune et de désirs amers,
Et nous allons, suivant le rythme de la lame,
Berçant notre infini sur le fini des mers :

Les uns, joyeux de fuir une patrie infâme ;
D'autres, l'horreur de leurs berceaux, et quelques-uns,
Astrologues noyés dans les yeux d'une femme,
La Circé tyrannique aux dangereux parfums.

Pour n'être pas changés en bêtes, ils s'enivrent
D'espace et de lumière et de cieux embrasés ;
La glace qui les mord, les soleils qui les cuivrent,
Effacent lentement la marque des baisers.

Mais les vrais voyageurs sont ceux-là seuls qui partent
Pour partir ; cœurs légers, semblables aux ballons,
De leur fatalité jamais ils ne s'écartent,
Et, sans savoir pourquoi, disent toujours : Allons !

Ceux-là dont les désirs ont la forme des nues,
Et qui rêvent, ainsi qu'un conscrit le canon,
De vastes voluptés, changeantes, inconnues,
Et dont l'esprit humain n'a jamais su le nom !

II

Nous imitons, horreur ! la toupie et la boule
Dans leur valse et leurs bonds ; même dans nos sommeils
La Curiosité nous tourmente et nous roule,
Comme un Ange cruel qui fouette des soleils.

Singulière fortune où le but se déplace,
Et, n'étant nulle part, peut être n'importe où !
Où l'Homme, dont jamais l'espérance n'est lasse,
Pour trouver le repos court toujours comme un fou !

Notre âme est un trois-mâts cherchant son Icarie ;
Une voix retentit sur le pont : « Ouvre l'œil ! »
Une voix de la hune, ardente et folle, crie :
« Amour… gloire… bonheur ! » Enfer ! c'est un écueil !

Chaque îlot signalé par l'homme de vigie
Est un Eldorado promis par le Destin ;
L'Imagination qui dresse son orgie
Ne trouve qu'un récif aux clartés du matin.

O le pauvre amoureux des pays chimériques !
Faut-il le mettre aux fers, le jeter à la mer,
Ce matelot ivrogne, inventeur d'Amériques
Dont le mirage rend le gouffre plus amer ?

Tel le vieux vagabond, piétinant dans la boue,
Rêve, le nez en l'air, de brillants paradis ;
Son œil ensorcelé découvre une Capoue
Partout où la chandelle illumine un taudis.

III

Étonnants voyageurs ! quelles nobles histoires
Nous lisons dans vos yeux profonds comme les mers !
Montrez-nous les écrins de vos riches mémoires,
Ces bijoux merveilleux, faits d'astres et d'éthers.

Nous voulons voyager sans vapeur et sans voile !
Faites, pour égayer l'ennui de nos prisons,
Passer sur nos esprits, tendus comme une toile,
Vos souvenirs avec leurs cadres d'horizons.

Dites, qu'avez-vous vu ?

IV

                                  « Nous avons vu des astres
Et des flots ; nous avons vu des sables aussi ;
Et, malgré bien des chocs et d'imprévus désastres,
Nous nous sommes souvent ennuyés, comme ici.

La gloire du soleil sur la mer violette,
La gloire des cités dans le soleil couchant,
Allumaient dans nos cœurs une ardeur inquiète
De plonger dans un ciel au reflet alléchant.

Les plus riches cités, les plus grands paysages,
Jamais ne contenaient l'attrait mystérieux
De ceux que le hasard fait avec les nuages.
Et toujours le désir nous rendait soucieux !

— La jouissance ajoute au désir de la force.
Désir, vieil arbre à qui le plaisir sert d'engrais,
Cependant que grossit et durcit ton écorce,
Tes branches veulent voir le soleil de plus près !

Grandiras-tu toujours, grand arbre plus vivace
Que le cyprès ? — Pourtant nous avons, avec soin,
Cueilli quelques croquis pour votre album vorace,
Frères qui trouvez beau tout ce qui vient de loin !

Nous avons salué des idoles à trompe ;
Des trônes constellés de joyaux lumineux ;
Des palais ouvragés dont la féerique pompe
Serait pour vos banquiers un rêve ruineux ;

Des costumes qui sont pour les yeux une ivresse ;
Des femmes dont les dents et les ongles sont teints,
Et des jongleurs savants que le serpent caresse. »

V

Et puis, et puis encore ?

VI

« O cerveaux enfantins !

Pour ne pas oublier la chose capitale,
Nous avons vu partout, et sans l'avoir cherché,
Du haut jusques en bas de l'échelle fatale,
Le spectacle ennuyeux de l'immortel péché :

La femme, esclave vile, orgueilleuse et stupide,
Sans rire s'adorant et s'aimant sans dégoût ;
L'homme, tyran goulu, paillard, dur et cupide,
Esclave de l'esclave et ruisseau dans l'égout ;

Le bourreau qui jouit, le martyr qui sanglote ;
La fête qu'assaisonne et parfume le sang ;
Le poison du pouvoir énervant le despote,
Et le peuple amoureux du fouet abrutissant ;

Plusieurs religions semblables à la nôtre,
Toutes escaladant le ciel ; la Sainteté,
Comme en un lit de plume un délicat se vautre,
Dans les clous et le crin cherchant la volupté ;

L'Humanité bavarde, ivre de son génie,
Et, folle maintenant comme elle était jadis,
Criant à Dieu, dans sa furibonde agonie :
« O mon semblable, ô mon maître, je te maudis ! »

Et les moins sots, hardis amants de la Démence,
Fuyant le grand troupeau parqué par le Destin,
Et se réfugiant dans l'opium immense !
— Tel est du globe entier l'éternel bulletin. »

VII

Amer savoir, celui qu'on tire du voyage !
Le monde, monotone et petit, aujourd'hui,
Hier, demain, toujours, nous fait voir notre image :
Une oasis d'horreur dans un désert d'ennui !

Faut-il partir ? rester ? Si tu peux rester, reste ;
Pars, s'il le faut. L'un court, et l'autre se tapit
Pour tromper l'ennemi vigilant et funeste,
Le Temps ! Il est, hélas ! des coureurs sans répit,

Comme le Juif errant et comme les apôtres,
A qui rien ne suffit, ni wagon ni vaisseau,
Pour fuir ce rétiaire infâme ; il en est d'autres
Qui savent le tuer sans quitter leur berceau.

Lorsque enfin il mettra le pied sur notre échine,
Nous pourrons espérer et crier : En avant !
De même qu'autrefois nous partions pour la Chine,
Les yeux fixés au large et les cheveux au vent,

Nous nous embarquerons sur la mer des Ténèbres
Avec le cœur joyeux d'un jeune passager.
Entendez-vous ces voix, charmantes et funèbres,
Qui chantent : « Par ici ! vous qui voulez manger

Le Lotus parfumé ! c'est ici qu'on vendange
Les fruits miraculeux dont votre cœur a faim ;

Venez vous enivrer de la douceur étrange
De cette après-midi qui n'a jamais de fin ! »

A l'accent familier nous devinons le spectre ;
Nos Pylades là-bas tendent leurs bras vers nous.
« Pour rafraîchir ton cœur nage vers ton Électre ! »
Dit celle dont jadis nous baisions les genoux.

VIII

O Mort, vieux capitaine, il est temps ! levons l'ancre !
Ce pays nous ennuie, ô Mort ! Appareillons !
Si le ciel et la mer sont noirs comme de l'encre,
Nos cœurs que tu connais sont remplis de rayons !

Verse-nous ton poison pour qu'il nous réconforte!
Nous voulons, tant ce feu nous brûle le cerveau,
Plonger au fond du gouffre, Enfer ou Ciel, qu'importe?
Au fond de l'Inconnu pour trouver du *nouveau* !

(*Les fleurs du mal*, dernier poème).

CHAPITRE V

LE XXe SIÈCLE

● LA FOI MALGRÉ LE MAL

Un renouveau chrétien extrêmement vif marque la fin du XIXe siècle et le début du XXe en littérature. A *L'avenir de la science* de Renan répond *Faillite de la science*, puis *Vers les chemins de la croyance* de l'un des critiques les plus célèbres de l'époque, Ferdinand Brunetière. Claudel s'évade enfin, dit-il, « du bagne » de la science, « de cette affreuse mécanique entièrement gouvernée par des lois parfaitement inflexibles et pour comble d'horreur connaissables et enseignables [1]. De grands écrivains, Péguy, Mauriac, Bernanos, sans jamais fermer les yeux sur le problème du mal, — « le mystère du mal », disent-ils plutôt — proclament leur foi dans la rédemption. Les opuscules confidentiels du Père Teilhard de Chardin, enfin, essaient de nouveau l'accord avec la science, et

---

1. Lettre à Jacques Rivière, 12 mars 1908.

suggèrent des solutions nouvelles. Elles conquièrent peu à peu une grande audience.

CLAUDEL : *Le repos de septième jour, Le soulier de satin* (Pléiade, Théâtre). *Pages de prose* (Gallimard) ; *L'Évangile d'Isaïe* (Gallimard).

PÉGUY : *Jeanne d'Arc, Le mystère de la charité de Jeanne d'Arc, Le mystère de la vocation de Jeanne d'Arc* ; *de Jean Coste* ; *Le mystère du porche de la deuxième vertu* (Pléiade).

MAURIAC : *Souffrances et bonheur du chrétien, Dieu et Mammon, Mémoires intérieurs, Journal, Bloc-notes*, tous les romans (Œuvres Complètes, Fayard).

BERNANOS : *Sous le soleil de Satan, Journal d'un curé de campagne, Nouvelle histoire de Mouchette* (Plon), *Monsieur Ouine* (Plon, Bordas).

TEILHARD DE CHARDIN : *Œuvres* (d'abord ronéotypées, aujourd'hui publiées aux Editions du Seuil).

Paul Claudel

LA CAUSE ET LE REMÈDE

« Converti » le jour de Noël 1886 à Notre-Dame de Paris, mais n'ayant accepté la foi que quatre ans plus tard, lorsqu'il fut décidément, dit-il, « forcé, réduit, et poussé à bout », Claudel a exprimé sa conception chrétienne du problème du mal dans de très nombreuses œuvres, particulièrement dans *Le repos du septième jour*.

Pour délivrer son peuple menacé par l'invasion des morts, l'Empereur des Vivants, maître du grand royaume, descend sous la terre. C'est là seulement qu'il peut trouver, dit-il « la cause et le remède », car « la mort possède explication ». Il y rencontre le Démon, qui lui sert de guide.

LE DÉMON

Tu veux savoir la leçon que je donne ?

L'EMPEREUR

Dis.

LE DÉMON

L'esprit de mal
Est né dans tout homme qui est né.
Et d'abord, cédant à la douceur nouvelle
De faire mal, il succombe ; tel est le premier degré.
L'habitude se forme, et par le second degré, établi
dans sa connaissance et dans sa volonté,
Il pèche, sachant ce qu'il fait, et ce degré est appelé
l'Inclination.
Et voici le troisième degré ; et celui qui l'a atteint
Est mûr entre les hommes, et n'ayant plus rien à
apprendre de moi déjà,
Il est digne d'une demeure plus basse :
Le Mal
Ne lui cause plus de plaisir, ni ne lui apporte nul
profit.
Mais cet homme fait le mal par amour, et, le
connaissant, il l'a choisi, joignant son cœur au nôtre.

L'EMPEREUR

Qu'est-ce que le Mal ?

LE DÉMON

Tu le veux ? Apprends donc des mystères plus
noirs !
Suppose qu'un homme t'ait confié de l'or. Je ne
dis pas assez.
Suppose que tu donnes à un pauvre
Ta fille unique en mariage et qu'il la mette au
lupanar. Ce n'est pas assez.
Suppose
Qu'un homme mystérieusement t'ait remis sa propre
vie. C'est moins encore qu'il ne faut comprendre.
Sache que le Seigneur du Ciel t'a créé, te commu-
niquant son image.

L'EMPEREUR

Qui est le Seigneur du Ciel ?

LE DÉMON

Il est.

Comme tout nombre mesuré par Un, comme le principe réside dans sa vertu,

Il est, et l'être en lui n'est pas différent de l'existence.

Comprends donc la cause du Mal, et le principe de notre jouissance.

L'EMPEREUR

Le Mal est ce qui n'est pas.

LE DÉMON

La Créature,

Voyant l'être qui lui était remis, s'en saisit,

Faisant d'elle-même sa fin, et tel fut le premier rapt et le premier inceste.

J'ai osé ! dans la vision de Dieu, j'ai commis l'acte infâme !

Et c'est pourquoi nous sommes joints à nous-mêmes, ici.

Par nous le premier homme fut initié au crime.

Il mourut, et de sa mort naquirent les milliers et les myriades.

Le germe du mal est en vous avec le goût de manger, la joie et la sagesse vous sont communes avec nous ;

Et votre demeure s'est superposée à la nôtre.

L'EMPEREUR

N'est-il point de remède et de réparation ?

Le remède existe mais ce n'est pas le Démon qui l'indiquera à l'Empereur bien entendu ; c'est celui que le poète appelle *l'Ange de l'Empire, le Vieillard de la Vie sans temps*. Les hommes sont punis parce qu'ils n'ont pas respecté le repos du septième jour. Qu'ils célèbrent « la grande Attente ».

L'ANGE DE L'EMPIRE

Écoute, ô mon fils, la parole de la Sagesse, le chant inextinguible qu'entendent ceux qui ont fait silence !

O larrons ! Vous avez volé à votre Créateur son
œuvre, et son bien très précieux, votre volonté,
  Et lui-même, vous rendant la pareille,
  Voici qu'il vous dérobe votre crime, et, s'emparant
de votre nature, il opère la restitution,
  Et c'est l'attente dont je parle : que le juste sacri-
fice soit remis entre vos mains.
  Voici la satisfaction, voici la réconciliation,
  Voici la justice, voici l'ordre, voici la sécurité,
voici la paix entre le Ciel et la Terre comme le
tendre commerce des époux, voici la chose stable !
  Je te loue, ô Dieu ! Amen.

(*Le repos du septième jour*, Gallimard éditeur).

Telle est la fin du IIᵉ acte. Au IIIᵉ, l'Empereur
revient du royaume d'en bas. Il est devenu lépreux,
mais il peut sauver son peuple. Il commence à annoncer
ce qui lui a été révélé : « Tout est bien. Le Mal est
dans le monde comme un esclave qui fait monter
l'eau. La Justice maintient tout et la Miséricorde
recrée tout ». Cependant, tout de suite, les mots lui
manquent : « Je voulais parler, et voici que je n'ai
plus rien à dire ». Il donne seulement l'ordre du Dieu
Un : Que l'homme travaille pendant six jours et que
le septième il fasse l'offrande et le rite purificatoire.
Alors l'ombre du Seigneur avancera jusqu'à lui.
« Paix au peuple dans la bénédiction des eaux !
Paix à l'enfant de Dieu dans la communion de la
flamme ! »

L'ENFER

LE DÉMON

Ce n'est point ici comme dans ton monde et chacun
reçoit
  Une fonction selon son aptitude.
  Les fornicateurs sont joints les uns aux autres,
mêlés ensemble comme des cadavres qui mollissent,
comme le suif qui fond et colle,
  Par deux, par trois

Par dix, par trente, en grappes tel qu'un farcin
de crapaud,
Ils culbutent dans la nuit qui bout, dissous dans
un spasme atroce.
Les gourmands ont faim. Les envieux desséchés
ont soif et versent des larmes de vinaigre.
Les paresseux dorment dans le cauchemar et ne
peuvent se réveiller.
Mais l'orgueilleux rigide est fiché tout seul dans
la terre comme un pal ; l'aveuglement et la solitude
éternelle sont sa part ;
Ses genoux sont retournés, ses articulations font
nœud.
Et, ou bien écarté comme une croix, il supporte la
lourdeur de ses bras
Ou en silence il travaille à relever sa tête sur sa
vertèbre cassée.
Mais la plante des pieds vit et une pointe subtile
la ronge et la dissèque.
— Mais pourquoi ces vaines images, quand le
Feu suffit à tout expliquer ?
Car, de même qu'en vous la souffrance avec exacti-
tude découvre et suit la lésion du nerf le plus délié,
C'est ainsi que le Damné est examiné par le
Père indéfectible.

(*Le repos du septième jour*, Gallimard éditeur).

LES INVITÉS A L'ATTENTION

Claudel s'adresse directement ici aux « Diminués »
des hôpitaux de Berck, plus particulièrement à ceux
d'entre eux qui n'attendent plus de guérison, aux
grands malades osseux condamnés à une inactivité
physique presque totale. Il les invite à « méditer
cette parole substantielle : *Mon espérance est du côté
de mon attention* ».

Une question continuelle est présente à l'esprit
du malade : Pourquoi ? Pourquoi moi ? Pourquoi

est-ce que je souffre ? Les autres marchent, pourquoi est-ce que je suis immobile ? Les autres rient, courent, travaillent, jouissent de ce beau et vaste monde, suivent un chemin et une carrière, produisent une œuvre, élèvent une famille, s'occupent parmi leurs semblables à une quantité de choses utiles et délicieuses. Qu'est-ce qui m'est arrivé ? Pourquoi est-ce que j'ai été mis de côté, impuissant, inutile, étendu depuis le matin jusqu'au soir pendant des jours et des mois et des années sur la même couche, en compagnie d'événements minuscules et de cette matière du temps dont les normaux ne s'aperçoivent même pas ? Pourquoi est-ce que j'ai été choisi ? Qu'est-ce qui m'a valu cette désignation nominale, cette élection au rôle de passif et l'épinglement au rideau de mon lit de ce programme de tortures à épuiser qui est mon lot, paraît-il, et la chose pour quoi je suis né ?

A cette question terrible, la plus ancienne de l'Humanité, et à laquelle Job a donné sa forme quasi officielle et liturgique, Dieu seul, directement interpellé et mis en demeure, était en état de répondre, et l'interrogatoire était si énorme que le Verbe seul pouvait le remplir en fournissant non pas une explication mais une présence, suivant cette parole de l'Évangile : « Je ne suis pas venu expliquer, dissiper les doutes avec une explication, mais *remplir*, c'est-à-dire remplacer par ma présence le besoin même de l'explication ». Le Fils de Dieu n'est pas venu pour détruire la souffrance, mais pour souffrir avec nous. Il n'est pas venu pour détruire la croix mais pour s'étendre dessus. De tous les privilèges spécifiques de l'Humanité, c'est celui-là qu'Il a choisi pour Lui-même, c'est du côté de la mort qu'Il nous a appris qu'était le chemin de la sortie et la possibilité de la transformation. Il nous a appris à préférer à toutes les fables des poètes et à toutes les fantaisies de l'imagination ces dures premières marches affreusement réelles et praticables. De la nature de l'Homme c'est la souffrance qui Lui a paru l'essentiel. Par Lui elle a cessé d'être gratuite, elle paye maintenant quelque chose, et ce quelque chose, c'est le Christ qui est venu nous l'apporter. Il est venu nous montrer ce que nous sommes capables d'acquérir et de réparer en payant, d'acquérir et de réparer pour nous-mêmes et pour les autres avec une monnaie dont le cours est universel et dont la dépense nous est d'ailleurs imposée, le seul choix nous étant laissé de l'employer ou absolument de la perdre. Ainsi l'homme qui souffre n'est pas inutile et oisif. Il travaille et il acquiert par sa colla-boration avec la main bienfaisante et cruelle qui est à l'œuvre sur lui, non pas des biens périssables et relatifs, mais des valeurs absolues et universelles dont il a la disposition. Il est tout entier transposé dans la nécessité. Certes, sa souffrance est nécessaire, en ce sens qu'il n'est pas libre de la rejeter, mais lui-même est nécessaire à la souffrance. Quelque chose se passe à quoi son corps et son âme, ou disons d'un seul mot, sa présence, est indispensable, et qui ne pourrait exister sans lui. Tout en lui est devenu acte par le sacrifice qui en est fait. Chose merveil-leuse ! son travail est d'être travaillé, c'est lui-même qui fournit la matière de cette élaboration mystérieu-se, c'est son âme qui subit l'opération de mains aussi savantes et délicates que celles d'un artiste ou d'un créateur ; il y a quelqu'un à l'œuvre sur lui qui l'empêche de revenir à l'état vulgaire et qui lui demande autre chose, qui lui pose patiemment, et suivant un mode mystérieusement apparenté à sa propre nature, cent fois et mille fois la même *question* (dans l'antique sens juridique du mot), jusqu'à ce qu'il ait répondu la réponse essentielle qu'on veut de lui et ce *oui* qui pour la plupart se confond avec le dernier soupir.

Ainsi la souffrance ressemble à la grâce en ce qu'elle est une élection gratuite, bien qu'il ne soit pas interdit de trouver parfois entre la nature et le don de Dieu un rapport de convenance. Toutefois il y a cette différence que nous pouvons nous dérober à l'une, mais non pas à l'autre qui nous prend de force. L'une va jusqu'au corps à travers l'âme, l'autre s'adresse à l'âme à travers le corps. L'une est comme un empoisonnement, l'autre comme une voie de fait. Mais toutes deux nous séparent du monde et nous livrent à quelqu'un qui est avec le monde non pas comme la partie dans le tout mais comme la cause dans l'effet. C'est la cause qui nous a faits qui n'est pas contente de son ouvrage et qui le reprend et qui nous obligea nous apercevoir d'elle.

Le Malade et le Saint, c'est quelqu'un que Dieu ne laisse pas tranquille. [...]

Chers amis de tous côtés gisants, privés de tout excepté de cette force essentielle et tenace qui vous retient à la vie, et qui peut-être est nécessaire pour maintenir bien d'autres fils tendus qui s'accrochent à vous sans que vous le sachiez, vous êtes ceux qu'on a fait entrer de force comme les Invités de la Parabole. Vous êtes pour toujours ou pour quelque temps les *Invités à l'attention*. Tous ces gens debout et bougeants et agissants que vous enviez, êtes-vous sûrs qu'ils vivent autant que vous ? Est-ce que la vie pour eux n'est pas un rêve où l'engrenage de l'idée et de l'acte, de l'habitude et du geste, s'opère pour ainsi dire de lui-même et presque sans aucune intervention de la pensée ? Mais vous, Dieu vous a fait un amer loisir. Est-ce que le goût d'une poignée de cerises, par exemple, n'est pas différent pour le convive repu qui les picore distraitement à la fin d'un bon dîner, ou pour le voyageur altéré et affamé qui les savoure non seulement de la bouche et du palais, mais du plus profond de son cœur et de son estomac ? Est-ce qu'un bouquet de belles fleurs fraîches, une assiette toute remplie et débordante de grosses grappes de raisin, n'apporte pas plus de joie au chevet d'un malade que sur la table à thé d'une Parisienne ? Dans le premier cas, il y a eu simple effleurement rapide du regard et de l'esprit : l'esclave n'a pas le droit de s'arrêter une seconde, il faut qu'il aille à sa tâche. Dans le second cas, il y a *communion* et la présence solennelle à côté de nous de ces belles choses que Dieu a faites a quelque chose de sacramentel.

L'instrument de cette communion est l'attention, le ressort en est le besoin, la matière profonde en est le consentement, comme dans ce sacrement que saint Paul appelle par excellence le *grand sacrement* et qui est le Mariage. Par le consentement nous nous ouvrons sans réserve à toutes ces bonnes et belles choses qui nous sont offertes et nous leur permettons d'être avec plénitude par rapport à nous tout ce que le Créateur leur a commandé d'être. Mais ne serait-ce pas une idée, au lieu de consentir simplement à ce fruit ou à cette belle rose trempée de fleurs d'argent, de consentir à Dieu ? De faire attention à Lui, bien que ce soit difficile ? De consentir du plus profond de notre âme et de notre corps à Lui, et de profiter de ce que nous sommes vaincus pour capituler, pour couler à fond, pour capituler sans articles dans une amère et silencieuse communion qui ne laisse pas un pouce de notre territoire inoccupé ? Cette humanité qu'Il a faite, pourquoi est-ce qu'Il n'y goûterait pas une fois de plus ? Ce calice qu'Il nous a donné à boire, pourquoi est-ce que notre souffrance ne servirait pas à Lui en rafraîchir le goût ? Ces fleurs, après tout, n'étaient que des signes bons à flatter un moment notre contemplation. Mais nous prêtons l'oreille à une nomination insistante et personnelle de notre nom. Nous sommes comme le mineur ou le puisatier enseveli qui entend tout là-bas le travail, le petit grattement de l'ami qui est à l'œuvre pour le délivrer. Il appartient à notre cœur de le devancer, de l'aider par une adroite et sainte immobilité au lieu de le gêner par tous ces pauvres gestes éperdus. « *Aujourd'hui tu seras avec moi dans le paradis* ». Ah, Seigneur, ce n'est pas *demain*, c'est *aujourd'hui* même que Vous avez dit, oui, c'est à cet instant même de suprême torture que cela m'est arrivé, et je ne pouvais comprendre Votre parole que sur la croix.

Brangues, septembre 1928.

(*Positions et propositions, II*, Gallimard éditeur)

Charles Péguy

Charles Péguy est devenu croyant en 1907-1908 non par *conversion*, comme Claudel, mais par *approfondissement* de sa vie intérieure, dit-il ; il y a *continuité mystique de son socialisme et de son dreyfusisme à son christianisme.* Il continue d'ailleurs de refuser l'enfer, il demeure éloigné des sacrements, et l'on ne peut déceler aucune opposition profonde entre sa première *Jeanne d'Arc*, publiée en 1897, et *Le mystère de la charité de Jeanne d'Arc* ou *Le mystère de la vocation de Jeanne d'Arc* écrits beaucoup plus tard. — L'œuvre effectivement s'est simplement complétée, approfondie, épanouie ; les grands thèmes et la personnalité de Jeanne sont les mêmes.

LA DÉDICACE DE 1897

A toutes celles et à tous ceux qui auront vécu,
A toutes celles et à tous ceux qui seront morts pour tâcher de porter remède au mal universel ;
En particulier,
A toutes celles et à tous ceux qui auront vécu leur vie humaine,
A toutes celles et à tous ceux qui seront morts de leur mort humaine pour tâcher de porter remède au mal universel humain ;
Parmi eux,
A toutes celles et à tous ceux qui auront connu le remède,
c'est-à-dire :
A toutes celles et à tous ceux qui auront vécu leur vie humaine,
`A toutes celles et à tous ceux qui seront morts de leur mort humaine pour l'établissement de la République socialiste universelle,
Ce poème est dédié.
Prenne à présent sa part de la dédicace qui voudra.
Marcel et Pierre Baudouin[1].

---

1. Le meilleur ami de Péguy était Marcel Baudouin, qui mourut très jeune. Ils avaient beaucoup parlé de Jeanne. Péguy prit lui-même, pendant un temps, le pseudonyme de Pierre Baudouin.

LA PRIÈRE DE JEANNE

Pourtant, mon Dieu, quand je pense qu'il y a des âmes qui se damnent ; quand je pense qu'il y avait des âmes qui n'étaient pas encore damnées au moment où j'ai commencé à vous dire cette prière et qui sont damnées à présent pour la mort éternelle; quand je pense qu'à présent que je vous parle toutes mes paroles vous trouvent occupé à damner des âmes, pardonnez-moi, mon Dieu, si je dis un blasphème : quand je pense à cela, je ne peux plus prier. Les paroles de la prière me paraissent ensanglantées du sang maudit, et mon âme s'affole à penser aux damnés ; à penser aux damnés mon âme se révolte. O Maître, daignez pour une fois exaucer ma prière, que je ne sois pas folle avec les révoltés. Pour une fois au moins, exaucez une prière de moi : Voici presque un an que je vous prie pour le mont vénérable de monsieur saint Michel, qui demeure au péril de la mer océane. Exaucez ô mon Dieu, cette prière-là. En attendant un bon chef de guerre qui chasse l'Anglais hors de toute France, délivrez les bons chevaliers de monsieur saint Michel : mon Dieu je vous en prie une dernière fois.

(Cette prière de la *Jeanne d'Arc* de 1897 sera reprise textuellement dans *Le mystère de la vocation de Jeanne d'Arc*, composé des années après. Les deux livres sont édités par Gallimard).

« LA MISÈRE SOCIALE A UNE IMPORTANCE INFINIE POUR NOUS »

Le misérable est dans sa misère, au centre de sa misère ; il ne voit que misérablement ; justement parce qu'il ne croit pas à la vie éternelle, à une survie infinie, le misérable que nous connaissons, le misérable comme l'a fait l'élimination de la croyance religieuse n'a plus qu'un seul compartiment de vie et tout ce compartiment lui est occupé désormais par la misère ; il n'a plus qu'un seul domaine ; et tout ce domaine est irrévocablement pour lui le domaine de la misère ; son domaine est un préau de prisonnier ;

où qu'il regarde, il ne voit que la misère ; et puisque
la misère ne peut évidemment recevoir une limitation
que d'un espoir au moins, puisque tout espoir lui
est interdit, sa misère ne reçoit aucune limitation ;
littéralement elle est infinie ; point n'est besoin que
la cause ou l'objet en soit infini pour qu'elle soit
infinie ; une cause, un objet qui n'est pas infini
pour la science extérieure, pour la physique, peut
déterminer dans une âme un sentiment infini si
ce sentiment emplit toute l'âme ; non pas en ce
sens qu'il exterminerait de l'âme tout autre sentiment, conscient, subconscient, inconscient, mais
en ce sens qu'il affecte sans exception, qu'il nuance
et qualifie toute la vie sentimentale, intellectuelle,
toute la vie de l'âme et de l'esprit ; peu importe
quels événements se produisent à l'intérieur de la
misère ; il suffit qu'ils soient à l'intérieur de la misère
pour être misérables ; quand un homme est comme
Jean Coste en pleine misère, dans l'enfer de la misère,
le dernier événement qui l'achève peut être un
événement extrinsèquement peu considérable, un
événement à qui résisterait aisément quelqu'un qui
ne serait pas misérable ; mais pour celui qui le subit
dans la misère, c'est-à-dire pour celui qui importe,
en définitive, cet événement soi-disant peu considérable est un événement capital, un événement
de conséquence infinie. Notre deuxième conclusion
sera que la simple misère humaine a une importance
infinie. La damnation a une importance infinie pour
les catholiques. La misère sociale a une importante
infinie pour nous.

(*De Jean Coste*, Gallimard éditeur).

« COMPLICE, C'EST PIRE QU'AUTEUR »

Jeanne est bouleversée par les malheurs innombrables de la guerre, par les péchés des soldats, — et
peut-être plus encore par l'indifférence, la lâcheté
de tous ceux qu'elle aime et qui laissent faire tout cela
sans rien dire.

JEANNETTE

—- Savez-vous, madame Gervaise, que nous, qui voyons tout cela se passer sous nos yeux sans rien faire à présent que des charités vaines...

MADAME GERVAISE

— Mon enfant, mon enfant, mon enfant, les charités ne sont jamais vaines.

JEANNETTE

— ... et sans vouloir tuer la guerre...

MADAME GERVAISE

— Mon enfant, ma pauvre enfant, mon enfant, ma petite enfant, tu ne parles pas comme une petite fille, tu ne parles pas comme une petite chrétienne.

Surtout ne te mets pas en colère. C'est aussi un grand péché.

JEANNETTE

— ... sans rien faire à présent que des charités vaines, puisque nous ne voulons pas tuer la guerre, nous sommes les complices de tout cela ? Nous qui laissons faire les soldats, savez-vous que, nous aussi, nous sommes les tourmenteuses des corps et les damneuses des âmes. Nous aussi, nous-mêmes, nous souffletons Jésus en croix. Nous aussi, nous-mêmes nous profanons le corps impérissable de Jésus.

Un silence.

Complice, complice, c'est comme auteur. Nous en sommes les complices, nous en sommes les auteurs. Complice, complice, c'est autant dire auteur.

Celui qui laisse faire est comme celui qui fait faire. C'est tout un. Ça va ensemble. Et celui qui laisse faire et celui qui fait faire ensemble c'est comme celui qui fait, c'est autant que celui qui fait. (*Comme se relevant*). C'est pire que celui qui fait. Car celui qui fait, il a au moins le courage de faire. Celui qui commet un crime, il a au moins le courage de le commettre. Et quand on le laisse faire, il y a le même crime ; c'est le même crime ; et il y a la lâcheté par dessus. Il y a la lâcheté en plus.

Il y a partout une lâcheté infinie.

Complice, complice, c'est pire qu'auteur, infiniment pire.

(Le mystère de la charité de Jeanne d'Arc,
Gallimard éditeur).

LE PRIX DES AMES

MADAME GERVAISE

[...] On doit penser à tous, on doit prier pour tous. Trop heureuse quand sa faveur infinie veut bien choisir cette âme parmi celles que nous avons aimées. Ah ! Jeannette, si tu savais...

Un silence bref.

On t'aura dit souvent que j'avais fui le monde et que j'avais été lâche, que j'étais lâche, que j'avais abandonné maman ; ils n'ont que ça à dire, que l'on a fui le monde, que nous fuyons le monde : si tu savais par combien de larmes, et du sang de mon corps et du sang de mon âme j'ai voulu sauver cette âme-là ! Pardonnez-moi, mon Dieu, cet orgueil à jamais, d'avoir osé choisir une âme à la sauver.

Un long silence.

Mais quand l'âme a passé devant le Tribunal, si Dieu l'a condamnée à l'Enfer éternel, nos œuvres ne valent pas pour elle : elle est morte ; nos prières ne valent pas pour elle ; pour elle nos souffrances ne valent pas. Ne donnons pas pour elle, ne donnons pas en vain pour elle nos œuvres vivantes, nos prières vivantes, nos souffrances vivantes : il faut laisser les morts ensevelir leurs morts.

JEANNETTE

Elle cesse de filer pour engager la discussion.

— Alors, madame Gervaise, quand vous voyez qu'une âme se damne...

MADAME GERVAISE

avec une sourde violence extrême ; comme
un cri d'en dessous :

— Jamais nous ne savons si une âme se damne.

JEANNETTE

— Hélas ! nous savons bien qu'il en est qui se damnent. Nous voyons bien. Voyons ! madame Gervaise : souvent nous croyons bien que telle âme est damnée.

MADAME GERVAISE

— Ma sœur, quand je crois bien qu'une âme s'est damnée, je suis malheureuse et je donne à Dieu la souffrance nouvelle où mon âme est enclose à supposer damnée une âme encore ici.

On offre à Dieu ce que l'on a. On offre à Dieu ce que l'on peut.

JEANNETTE

— Et quand vous voyez, madame Gervaise, que vos prières sont vaines ?

MADAME GERVAISE

très vivement ; comme un cri sourd ; comme un cri secret :

— Jamais nous ne savons si la prière est vaine.

rougissant et se reprenant vite.

Ou plutôt nous savons que la prière n'est jamais vaine. Il y a le trésor des prières. Depuis que Jésus a dit son Notre Père. Depuis la première fois que Jésus a dit le... Notre Père.

très ferme.

Et quand cela serait, c'est affaire au bon Dieu ; nos âmes sont à lui. Quand j'ai fait ma prière et bien fait ma souffrance, il m'exauce à sa volonté : ce n'est pas à nous, ce n'est à personne à lui en demander raison.

JEANNETTE

— Et la souffrance.

MADAME GERVAISE

— Il exauce la souffrance comme il exauce la prière.

JEANNETTE

— Et quand nous voyons, quand vous voyez, que la chrétienté même, que la chrétienté tout entière s'enfonce graduellement er délibérément, s'enfonce régulièrement dans la perdition.

MADAME GERVAISE

— On verra, on verra, mon enfant. Qu'est-ce que tu en vois. Qu'est-ce que tu en sais. Qu'est-ce que tu sais. Qu'est-ce que nous en savons. On verra voir. Laissons courir, laissons venir la volonté de Dieu. Le monde se perd, le monde s'enfonce dans la perdition. Tu t'en aperçois, tu le vois, depuis quand ? mettons depuis huit ans. Tu l'entends dire, aux vieux, depuis quand ? mettons depuis quarante, depuis cinquante ans. Mettons de père en fils depuis cinquante et cent ans. Et puis après. Que sont quarante, que sont cinquante et cent ans auprès de ce qui est promis à l'Église. Et quand ce serait depuis les treize siècles que ça dure. Que sont des siècles de jours et des siècles d'années. Que sont des siècles de minutes ? Il y aura des siècles de siècles. Nous sommes de l'Église éternelle. Nous sommes dans la chrétienté éternelle. Ces temps sont venus, il y aura d'autres temps. Ces temps sont venus, il y aura, il y a l'éternité. Que pèsent des siècles de siècles du temps en face de l'éternité.

De la véritable, de la réelle éternité.

En face des promesses éternelles. De la promesse d'éternité. De la promesse faite à l'Église.

En face des promesses.

En face des promesses que pèse l'événement ; le pauvre, le misérable événement ; tout ce qui arrive.

Qu'est-ce que nous savons.

Qu'est-ce que nous voyons.

Et quand cela serait, c'est affaire au bon Dieu : la chrétienté même est à lui, l'Église est à lui. Quand j'ai fait ma prière et bien fait ma souffrance, il m'exauce à sa volonté : ce n'est pas à nous, ce n'est à personne à lui en demander raison.

Nous sommes dans la main de Dieu.

Les voies de Dieu sont insondables.

JEANNETTE

Un peu brusquement.

— Adieu, madame Gervaise.

MADAME GERVAISE

— Adieu, ma fille. Que Jésus le Sauveur sauve à jamais ton âme.

JEANNETTE

— Ainsi soit-il, madame Gervaise.

Elle se remet à filer.

Orléans, qui êtes au pays de Loire.

Madame Gervaise était sortie. Mais elle rentre avant que l'on ait eu le temps de baisser le rideau.

(*Le mystère de la charité de Jeanne d'Arc*, Gallimard éditeur).

Péguy interrompt son texte, abruptement, sur cet adieu de Jeanne à Madame Gervaise, et sur l'évocation, en une seule ligne, de la détresse d'Orléans. Il a supprimé les quarante pages qui suivaient : l'annonce de la délivrance du mont Saint-Michel, et l'exaltation de Jeanne à cette nouvelle : « Le monde est bien, le monde est beau, le monde est grand, le monde est bon... ». Il comprend cette allégresse de la jeune fille, mais il ne peut pas la partager. Il avoue plus tard à Lotte, son ami : « Figure-toi que pendant dix-huit mois je n'ai pu dire mon « Notre Père »... *Que votre volonté soit faite*, je ne pouvais pas dire ça. Je ne pouvais pas... Je ne pouvais pas prier Dieu parce que je ne pouvais pas accepter sa volonté. C'est effrayant.

Péguy n'a pu sortir de cet état, nous dit-il lui-même, qu'en écrivant son *Porche du mystère de la deuxième vertu* [c'est-à-dire l'Espérance, la petite espérance]. Effectivement, c'est là que nous trouvons sa réponse.

« CELUI QUI AIME... »

Celui qui aime se met, par cela même,
Par cela seulement, dès par cela dans la dépendance,
Celui qui aime tombe dans la servitude de celui qui
    est aimé.

C'est l'habitude, c'est la loi commune.

C'est fatal.

Celui qui aime tombe, se met sous la servitude, sous
un joug de servitude.

Il dépend de celui qu'il aime.

C'est pourtant cette situation-là, mon enfant, que
Dieu s'est faite, en nous aimant.

Dieu a daigné espérer en nous, puisqu'il a voulu
espérer de nous, attendre de nous.

Situation misérable, (en) récompense de quel amour,
Gage, rançon de quel amour.

Singulière récompense. Et qui était dans la condition,
dans l'ordre même, dans la nature de cet amour.

Il s'est mis dans cette singulière situation, retournée,
dans cette misérable situation que c'est lui qui
attend de nous, du plus misérable pécheur.

Qui *espère* du plus misérable pécheur.

Qui ainsi dépend du plus misérable pécheur.

Et nous.

Voilà où il s'est laissé conduire, par son grand amour,
voilà où il s'est mis, où il a été mis, où enfin il s'est
laissé mettre.

Voilà où il en est, où il est.

Où nous devons être, c'est lui qui s'est mis.

A ce point, sur ce pied.

Qu'il a à craindre, à espérer, enfin à attendre du
dernier des hommes.

Qu'il est aux mains du dernier des pécheurs.

Mais le corps de Jésus, dans toute église, n'est-il pas
aux mains du dernier des pécheurs.

(A la merci du dernier des soldats).

Qu'il a à redouter, tout, de nous.

(Qu'il ait à redouter, c'est déjà trop, c'est déjà tout),

(Si peu que ce fût, et ici c'est tout)

(Si peu que ce fût, quand ce ne serait presque rien,
rien pour ainsi dire)

Telle est la situation où Dieu par la vertu de l'espérance

Pour faire le jeu de l'espérance,

S'est laissé mettre

En face du pécheur.

Il craint de lui, puisqu'il craint pour lui.

Tu comprends, je dis : Dieu craint du pécheur,
  puisqu'il craint pour le pécheur.

Quand on craint pour quelqu'un, on craint de ce
  quelqu'un.

C'est à cette loi commune que Dieu s'est laissé mettre.

Et soumettre.

A ce niveau commun.

C'est à cette loi commune qu'il a souffert d'être mis.

Il faut qu'il attende le bon plaisir du pécheur.

Il s'est mis sur ce pied.

Il faut qu'il espère dans le pécheur, en nous.

Il faut, c'est insensé, il faut qu'il espère que *nous nous*
  sauvions.

Il ne peut rien faire sans nous.

Il faut qu'il écoute nos fantaisies.

Il faut qu'il attende que monsieur le pécheur veuille
  bien un peu penser à son salut.

Voilà la situation que Dieu s'est faite.

Celui qui aime tombe sous la servitude de celui qui
  est aimé.

Par là même.

Voilà la situation que Dieu s'est faite.

Celui qui aime tombe sous la servitude de celui qu'il
  aime.

Dieu n'a pas voulu échapper à cette loi commune.

Et par son amour il est tombé dans la servitude du
  pécheur.

[...] Effrayant amour, effrayante charité,

Effrayante espérance, responsabilité vraiment effrayante,

Le Créateur a besoin de sa créature, s'est mis à avoir
  besoin de sa créature.

Il ne peut rien faire sans elle.

C'est un roi qui aurait abdiqué aux mains de chacun
  de ses sujets.

Simplement le pouvoir suprême.

Dieu *a besoin* de nous, Dieu *a besoin* de sa créature.

Il s'est pour ainsi dire condamné ainsi, condamné à
  cela.
Il manque de nous, il manque de sa créature.
Celui qui est tout a besoin de ce qui n'est rien.
Celui qui peut tout a besoin de ce qui ne peut rien.
Il a remis ses pleins pouvoirs.
Celui qui est tout n'est rien sans celui qui n'est rien.
Celui qui peut tout ne peut rien sans celui qui ne
  peut rien.

(*Le porche du mystère de la deuxième vertu*
Gallimard, éditeur).

François Mauriac

François Mauriac a mis en épigraphe à son roman
Le fleuve de feu les trois citations suivantes, particulièrement
caractéristiques de son inspiration :

*Tout ce qui est du monde est concupiscence de la chair,
ou concupiscence des yeux ou orgueil de la vie.* (St Jean).

*Malheureuse la terre de malédiction que ces trois fleuves
de feu embrasent plutôt qu'ils n'arrosent !* (Pascal).

*O Dieu... qui oserait parler de cette profonde et honteuse
plaie de la nature, de cette concupiscence qui lie l'âme au
corps par des liens si tendres et si violents ?* (Bossuet).

Il est difficile d'isoler un passage dans les romans de
Mauriac sans trahir leur atmosphère, si présente, si intime...
Mais les très nombreux Essais de l'écrivain (*Souffrances
et bonheur du chrétien, Dieu et Mammon*, en particulier),
ses *Mémoires intérieurs*, son *Journal*, son *Bloc-notes* expriment avec une force peut-être plus brûlante encore, dans
un style constamment admirable, la hantise et la fascination du péché, l'appel de tout l'être à la puissance de
la grâce.

SOUFFRANCES DU PÉCHEUR

Prouve-moi que tous ces songes sont vains, dit
la Chair à l'Esprit, — afin que je puisse forniquer
dans mon coin sans cette angoisse d'offenser Quel-

qu'un, sans cette terreur d'ajouter aux souffrances d'un Dieu.

Elle dit encore : Je ne fais de tort à personne : pourquoi le plaisir serait-il le mal ?

Il est le mal, *tu le vois bien*. Quelle autre preuve te faut-il que cet entraînement aveugle, que cette descente indéfinie ? Assieds-toi à une terrasse de café ; regarde couler ce flot de visages. O faces déshonorées !

« Jusqu'où ne descendrai-je pas ? » Cela est inscrit sur tous ces corps prostitués.

Il est vrai que la concupiscence avilit l'être humain et finalement le détruit : c'est un fait. Mais le renoncement ? Que de vies perdues pour le bonheur ! Que de déviations ! Que de défaites ! Que de secrets naufrages !

Il n'est sans doute de pire attitude que celle de l'homme qui ne choisit pas, qui renonce à demi et ne cède qu'un peu. Ce demi-renoncement ne sert qu'à exciter la passion. Etres perdus pour Dieu, perdus pour le monde.

[...] Une chair qui s'assouvit accompagne toujours un esprit incapable d'adhérer au surnaturel. Il peut exister dans le même homme des alternances de vie sensuelle et de vie spirituelle, mais ces deux vies ne coexistent jamais.

« O pureté ! pureté ! c'est cette minute d'éveil qui m'a donné la vision de la pureté ! *Par l'esprit on va à Dieu*. Déchirante infortune ! »

Oui, déchirante infortune ! la vérité est là, tout près « qui peut-être nous entoure avec ses anges pleurant » ; mais entre elle et nous, la concupiscence accumule des ténèbres où nous errons les bras tendus, les mains tâtonnantes, — si exténués que nous jouons la vie éternelle contre un instant de repos sur une poitrine.

(*Souffrances et bonheur du chrétien*, Grasset éditeur).

LA RACE SEULE CONDAMNÉE, LES INDIVIDUS SAUVÉS

C'est un fait aussi certain que la gravitation de la terre : nous portons en nous beaucoup plus que nous-mêmes ; un homme n'est pas double, comme le croyait l'Apôtre, mais multiple. Le pécheur en soi est un mythe. Ce qui existe, c'est une accumulation de tendances héritées. Et certes, la *personne* morale existe aussi que nous créons nous-mêmes en nous. Mais les déchets qui ne servent pas à cette création, continuent de vivre et de nous empoisonner.

Des êtres que j'ai pu observer depuis leur enfance, je les ai vus lutter contre des penchants dont ils ignoraient jusqu'au nom, si profonde était leur pureté. L'eau souterraine se fraye lentement une route, surmonte ou tourne les obstacles, semble dormir pendant des années, et soudain jaillit des entrailles de l'être, — du pauvre être humain souvent stupéfait de ce qu'il recélait en lui à son insu.

Et sans doute, c'est la loi de la chute : nous avons été enfantés dans une chair corrompue ; Dieu ne nous tente pas au-delà de nos forces ; la Grâce est proportionnée au péril qui nous presse ; à quoi bon faire le brave contre Dieu ? Il est celui qui a toujours raison ; nous ne pouvons pas ne pas avoir tort.

Il est vrai. Mais de quel droit lui prêtons-nous cette rigueur uniforme ? Chacun de nos procès sera plaidé à part. Vous ne connaissez pas tous les témoins à décharge. Des millions d'ancêtres viendront témoigner à la barre de l'éternité qu'ils nous ont transmis des inclinations qu'eux-mêmes avaient reçues de leurs pères. Et Dieu seul sait ce que peut donner, dans un enfant, la rencontre de deux tendances héritées d'ancêtres différents.

Hypothèse, mais qui n'est peut-être pas absurde : Dieu fait de la race le bouc émissaire de tous les péchés individuels ; il condamne la race pour sauver l'individu.

(*Souffrances et bonheur du chrétien*, Grasset éditeur).

« CE QUE NOUS CROYONS EST INCONCEVABLE »

Le dogme de l'enfer est effroyable au point que ceux même qui y croient, n'arrivent pas à se le représenter ; et c'est ce qui lui enlève beaucoup de son efficace.

Je crois à l'enfer comme à tout ce qu'enseigne l'Église (qui n'a d'ailleurs rien ajouté aux paroles du Christ « Allez, maudits, au feu éternel... »).

[...] Ce que nous croyons est inconcevable ; et la théologie ne nous aide pas à le concevoir. Je crois, mais sans essayer de comprendre. L'enfer allumé par l'Amour, disent-ils. Dieu confondu avec un amant irrité, et qui se venge. Cette pensée nous fait horreur. Car nous qui sommes durs et cruels, nous nous savons pourtant capables d'aimer sans être aimés, de tout donner sans rien recevoir. Quel amant n'éprouve avec certitude qu'aucun reniement, qu'aucune trahison ne viendrait à bout de son amour ? Ce que nous sommes, cœurs éphémères, dans le temps, Dieu, cœur éternel, ne saurait-il l'être dans l'éternité ?

Il faut croire à toutes les paroles du Christ, à tous les dogmes de l'Église, — et à cet enfer qui épouvante moins les concupiscents qu'il ne les rassure : « C'est trop horrible pour être vrai », disent-ils. Et si cela est faux, ils se réjouissent de ce que tout le reste s'écroule aussi.

C'est pourtant vrai, quoique horrible. Mais il faut que Dieu soit innocent de l'enfer. Le choix de l'homme crée l'enfer : un homme qui, devant l'éternité, décide librement de n'être pas du côté de Dieu (cet homme existe-t-il ?).

(*Souffrances et bonheur du chrétien*, Grasset éditeur).

BONHEUR DU CHRÉTIEN

Quand les hommes d'aujourd'hui parlent de *refoulement*, il s'agit toujours de l'instinct le plus bas ; c'est toujours l'inclination la plus triste qui est

« refoulée ». Mais Dieu peut être, lui aussi, l'objet d'un patient refoulement. Plus d'un n'arrive pas à le repousser assez loin : un rayon fuse encore sous la porte, brûle la page où se consomme le Reniement, et leur œuvre entière en demeure, malgré eux, toute diaprée.

[...] « Nous ne pouvons aimer, que ce que nous créons ». Parole ingénieuse de Valéry : ici, c'est le ton qui frappe ; un certain tour qui fait que l'esprit du lecteur adhère sans examen (s'il n'est de ceux qui retournent une telle phrase dans un cri de joie : « Nous ne pouvons aimer que Celui qui nous a créés, — nous ne sommes aimés que par Celui qui nous a créés... » *Quia fecisti nos ad te et inquietum est cor nostrum donec requiescat in te* [1]).

(*Souffrances et bonheur du chrétien*, Grasset éditeur).

LA CONNAISSANCE MÉTAPHYSIQUE DU MAL

La connaissance métaphysique du mal, il n'est rien qui soit plus étranger aux hommes d'aujourd'hui ni qui leur répugne davantage dans ses derniers détenteurs chrétiens.

Ah Seigneur ! donnez-moi la force et le courage
De contempler mon cœur et mon corps sans dégoût !

Qui a besoin de ce courage et de cette force, désormais ? Ils se regardent, ils se plaisent et, s'ils ont appris à le faire, ils se décrivent. L'insecte humain n'a de compte à rendre à personne pour avoir suivi les lois de son espèce, — non, aucun compte à rendre de tous ces corps et de tous ces cœurs dont il se sera servi, et puis qu'il aura rejetés.

(*Mémoires intérieurs*, Flammarion éditeur).

---

1. Parce que tu nous as créés pour toi et que notre cœur demeure dans l'inquiétude tant qu'il ne se repose pas en toi (saint Augustin).

Georges Bernanos

L'ÉMINENTE DIGNITÉ DES PAUVRES

Écrivain puissant et inspiré, qui a osé faire paraître et parler dans un roman contemporain Satan lui-même[1], Georges Bernanos est aussi, tout à la fois, le poète de la pitié humaine, de l'honneur humain, de la sainteté.

Le curé de la petite paroisse d'Ambricourt, ici, écoute avec une profonde émotion le vieux médecin Maxence Delpende évoquer l'attitude de l'Église devant l'inégalité sociale.

La justice, avais-je dit, est comme l'épanouissement de la charité, son avènement triomphal.

Le docteur m'a regardé un long moment avec un air de surprise, d'hésitation très gênant pour moi. Je crois que la phrase lui avait déplu. Ce n'était qu'une phrase, en effet.

— Triomphal ! Triomphal ! Il est propre, votre triomphe, mon garçon. Vous me répondrez que le royaume de Dieu n'est pas de ce monde ? D'accord. Mais si on donnait un petit coup de pouce à l'horloge, quand même ? Ce que je vous reproche, à vous autres, ça n'est pas qu'il y ait encore des pauvres, non. Et même, je vous fais la part belle, je veux bien que la charge revienne à de vieilles bêtes comme moi de les nourrir, de les vêtir, de les soigner, de les torcher. Je ne vous pardonne pas, puisque vous en avez la garde, de nous les livrer si sales. Comprenez-vous ? Après vingt siècles de christianisme, tonnerre de Dieu, il ne devrait plus y avoir de honte à être pauvre. Ou bien, vous l'avez trahi, votre Christ ! Je ne sors pas de là. Bon Dieu de bon Dieu ! Vous disposez de tout ce qu'il faut pour humilier le riche, le mettre au pas. Le riche a soif d'égards, et plus il est riche, plus

---

1. Dans *Sous le soleil de Satan*, récemment adapté pour la Télévision par Pierre Cardinal.

il a soif. Quand vous n'auriez eu que le courage de les foutre au dernier rang, près du bénitier ou même sur le parvis — pourquoi pas ? — ça les aurait fait réfléchir. Ils auraient tous louché vers le banc des pauvres, je les connais. Partout ailleurs les premiers, ici, chez Notre-Seigneur, les derniers, voyez-vous ça ? Oh ! je sais bien que la chose n'est pas commode. S'il est vrai que le pauvre est à l'image et à la ressemblance de Jésus, — Jésus lui-même, — c'est embêtant de le faire grimper au banc d'œuvre, de montrer à tout le monde une face dérisoire sur laquelle, depuis deux mille ans, vous n'avez pas encore trouvé le moyen d'essuyer les crachats. Car la question sociale est d'abord une question d'honneur. C'est l'injuste humiliation du pauvre qui fait les misérables. On ne vous demande pas d'engraisser des types qui d'ailleurs ont de père en fils perdu l'habitude d'engraisser, qui resteraient probablement maigres comme des coucous. Et même on veut bien admettre, à la rigueur, pour des raisons de convenances, l'élimination des guignols, des fainéants, des ivrognes, enfin des phénomènes carrément compromettants. Reste qu'un pauvre, un vrai pauvre, un honnête pauvre ira de lui-même se coller aux dernières places dans la maison du Seigneur, la sienne. et qu'on n'a jamais vu, qu'on ne verra jamais un suisse empanaché comme un corbillard, le venir chercher au fond de l'église pour l'amener dans le chœur, avec les égards dus à un Prince — un Prince du sang chrétien. Cette idée-là fait ordinairement rigoler vos confrères. Futilités, vanités. Mais pourquoi diable prodiguent-ils de tels hommages aux Puissants de la Terre, qui s'en régalent ? Et s'ils les jugent ridicules, pourquoi les font-ils payer si cher ? « On rirait de nous, disent-ils, un bougre en haillons dans le chœur, ça tournerait vite à la farce ». Bon ! Seulement lorsque le bougre a définitivement changé sa défroque contre une autre en bois de sapin, quand vous êtes sûrs, absolument sûrs, qu'il ne se mouchera plus dans ses doigts, qu'il ne crachera plus sur vos tapis, qu'est-ce que vous en faites, du bougre ?

Allons donc ! Je me moque de passer pour un imbécile, je tiens le bon bout, le pape ne m'en ferait pas
démordre. Et ce que je dis, mon garçon, vos saints
l'ont fait, ça ne doit donc pas être si bête. A genoux
devant le pauvre, l'infirme, le lépreux, voilà comme
on les voit, vos saints. Drôle d'armée où les caporaux
se contentent de donner en passant une petite tape
d'amitié protectrice sur l'épaule de l'hôte royal aux
pieds duquel se prosternent les maréchaux !

Il s'est tu, un peu gêné par mon silence. Certes,
je n'ai pas beaucoup d'expérience mais je crois
reconnaître du premier coup un certain accent,
celui qui trahit une blessure profonde de l'âme.
Peut-être d'autres que moi sauraient alors trouver le
mot qu'il faut pour convaincre, apaiser ? J'ignore ces
mots-là.

(*Journal d'un curé de campagne*, Plon éditeur).

« IL Y AURA TOUJOURS DES PAUVRES PARMI VOUS »

Le curé d'Ambricourt ne cessera de chercher ce
qu'il aurait pu et dû répondre. Il se rappelle ce que
lui a dit son ami le curé de Torcy, dont la plus forte
tentation, jadis, a été de prêcher l'insurrection aux
pauvres, et qui pense, aujourd'hui, « qu'il faut leur
enseigner la pauvreté », bien que cela paraisse d'abord
scandaleux :

Évidemment, Notre-Seigneur parle tendrement
à ses pauvres, mais comme je te le disais tout à l'heure, il leur annonce la pauvreté. Pas moyen de sortir
de là, car l'Église a la garde du Pauvre, bien sûr.
C'est le plus facile. Tout homme compatissant
assure avec elle cette protection. Au lieu qu'elle est
seule, — tu m'entends, — seule, absolument seule
à garder l'honneur de la pauvreté. Oh ! nos ennemis
ont la part belle. « Il y aura toujours des pauvres
parmi vous », ce n'est pas une parole de démagogue,
tu penses ! Mais c'est la Parole, et nous l'avons reçue.
Tant pis pour les riches qui feignent de croire qu'elle

justifie leur égoïsme. Tant pis pour nous qui servons ainsi d'otages aux Puissants, chaque fois que l'armée des misérables revient battre les murs de la Cité ! C'est la parole la plus triste de l'Évangile, la plus chargée de tristesse...

... J'aurais dû dire au docteur Delbende que l'Église n'est pas seulement ce qu'il imagine, une espèce d'État souverain avec ses lois, ses fonctionnaires, ses armées, — un moment, si glorieux qu'on voudra, de l'histoire des hommes. Elle marche à travers le temps comme une troupe de soldats à travers des pays inconnus où tout ravitaillement normal est impossible. Elle vit sur les régimes et les sociétés successives ainsi que la troupe sur l'habitant, au jour le jour.

Comment rendrait-elle au Pauvre, héritier légitime de Dieu, un royaume qui n'est pas de ce monde ? Elle est à la recherche du Pauvre, elle l'appelle sur tous les chemins de la terre. Et le Pauvre est toujours à la même place, à l'extrême pointe de la cime vertigineuse, en face du Seigneur des Abîmes[1] qui lui répète inlassablement depuis vingt siècles, d'une voix d'Ange, de sa voix sublime, de sa prodigieuse Voix : « Tout cela est à vous, si vous prosternant, vous m'adorez... »

Telle est peut-être l'explication surnaturelle de l'extraordinaire résignation des multitudes. La Puissance est à la portée de la main du Pauvre, et le Pauvre l'ignore, ou semble l'ignorer. Il tient ses yeux baissés vers la terre, et le Seigneur attend de seconde en seconde le mot qui lui livrerait notre espèce, mais qui ne sortira jamais de la bouche auguste que Dieu lui-même a scellée.

---

1. Satan. Le curé d'Ambricourt fait allusion ici à la troisième tentation du Christ dans le désert, après le jeûne de 40 jours et 40 nuits. « Le tentateur l'enleva et le transporta sur une très haute montagne. De là il lui fit voir tous les royaumes du monde dans toute leur étendue et leur splendeur. » — « Cette gloire, cette puissance sont à moi, lui dit-il, elles m'ont été livrées, et je les donne à qui je veux. Eh bien, tout cela, je te le donnerai si, tombant à mes genoux, tu m'adores. » — « Arrière Satan, dit Jésus, car il est écrit : Tu adoreras le seigneur ton Dieu, et tu ne serviras que Lui ».

Le thème du mal

Problème insoluble : rétablir le Pauvre dans son droit, sans l'établir dans la puissance. Et s'il arrivait, par impossible, qu'une dictature impitoyable, servie par une armée de fonctionnaires, d'experts, de statisticiens, s'appuyant eux-mêmes sur des millions de mouchards et de gendarmes, réunissait à tenir en respect, sur tous les points du monde à la fois, les intelligences carnassières, les bêtes féroces et rusées, faites pour le gain, la race d'hommes qui vit de l'homme — car sa perpétuelle convoitise de l'argent n'est sans doute que la forme hypocrite, ou peut-être inconsciente de l'horrible, de l'inavouable faim qui la dévore — le dégoût viendrait vite de l'*aurea mediocritas* ainsi érigée en règle universelle, et l'on verrait refleurir partout les pauvretés volontaires, ainsi qu'un nouveau printemps.

Aucune société n'aura raison du Pauvre. Les uns vivent de la sottise d'autrui, de sa vanité, de ses vices. Le Pauvre, lui, *vit de la charité*. Quel mot sublime !

(*Le journal d'un curé de campagne*, Plon éditeur).

LA MONSTRUEUSE RÉSIGNATION AU MAL

Mais, plus sinistre encore que l'injustice et la misère, c'est la passivité, la solidarité humaine dans le mal qui bouleversent le curé d'Ambricourt ; l'acceptation, par tant de créatures de Dieu, pire encore que du crime, — du vide, du néant.

Le monde du Mal échappe tellement, en somme, à la prise de notre esprit ! D'ailleurs, je ne réussis pas toujours à l'imaginer comme un monde, un univers. Il est, il ne sera toujours qu'une ébauche, l'ébauche d'une création hideuse, avortée, à l'extrême limite de l'être. Je pense à ces poches flasques et translucides de la mer. Qu'importe au monstre un criminel de plus ou de moins ! Il dévore sur-le-champ son crime, l'incorpore à son épouvantable substance, le digère sans sortir un moment de son effrayante, de son éternelle immobilité. Mais l'historien, le moraliste, le philosophe même, ne veulent voir que le criminel, ils refont le mal à l'image et à la ressemblance de l'homme. Ils ne se forment aucune idée du mal lui-même, cette énorme aspiration du vide, du néant. Car si notre espèce doit périr, elle périra de dégoût, d'ennui. La personne humaine aura été lentement rongée, comme une poutre par ces champignons invisibles qui, en quelques semaines, font d'une pièce de chêne une matière spongieuse que le doigt crève sans effort. Et le moraliste discutera des passions, l'homme d'Etat multipliera les gendarmes et les fonctionnaires, l'éducateur rédigera des programmes — on gaspillera des trésors pour travailler inutilement une pâte désormais sans levain.

(Et par exemple ces guerres généralisées qui semblent témoigner d'une activité prodigieuse de l'homme, alors qu'elles dénoncent au contraire son apathie grandissante... Ils finiront par mener vers la boucherie, à époques fixes, d'immenses troupeaux résignés).

Ils disent qu'après des milliers de siècles, la terre est encore en pleine jeunesse, comme aux premiers stades de son évolution planétaire. Le mal, lui aussi, commence.

Mon Dieu, j'ai présumé de mes forces. Vous m'avez jeté au désespoir comme on jette à l'eau une petite bête à peine née, aveugle.

(*Journal d'un curé de campagne*, Plon éditeur).

Le curé d'Ambricourt, misérable devant les hommes, humble comme un saint, se sauvera pourtant du désespoir et il en sauvera d'autres âmes.

Veillé à son lit de mort par un prêtre qui a perdu la foi et abandonné son sacerdoce, il se fait absoudre par lui, et il le rassure quand celui-ci s'inquiète de ne pas voir arriver un prêtre fidèle qu'il a envoyé chercher et qui pourrait lui donner en toute régularité les consolations de l'Eglise.

« Qu'est-ce que cela fait ? murmure le curé d'Ambricourt, tout est grâce. »

Il meurt dans cet acte de foi.

Pierre Teilhard de Chardin

Le Père Teilhard de Chardin, savant et jésuite, a tenté une synthèse audacieuse entre les certitudes scientifiques et la foi chrétienne.

Au cours de véritables extases, en 1916 près de Douaumont, en 1919 à Jersey, l'image du Sacré-Cœur de Jésus lui apparaît comme se confondant avec le Cœur même de la Matière, du Monde, du Tout.

Il compose une exhortation pathétique, un hymne véritable à celui qu'il appelle à la fois le Fils de la Terre et le Fils de l'Homme :

Trempe-toi dans la Matière, Fils de la Terre, baigne-toi dans ses nappes ardentes, car elle est la source et la jeunesse de ta vie...

Ah ! tu croyais pouvoir te passer d'elle parce que la pensée s'est allumée en toi.

Eh bien, tu as failli périr de faim...

Baigne-toi dans la Matière, Fils de l'Homme... Plonge-toi en elle, là où elle est la plus violente et la plus profonde ! Lutte dans son courant et bois son flot ! C'est elle qui a bercé jadis ton inconscience ; — c'est elle qui te portera jusqu'à Dieu.

« L'ÉVOLUTION IRRÉSISTIBLE »

Car pour le Père Teilhard de Chardin, Dieu, Cœur du Tout, est le *Point Oméga* de *l'évolution irrésistible*. La foi sublime en nous le *flot montant de toutes les aspirations humaines ; c'est dans cette sève originelle qu'il faut nous replonger, si, avec les frères que nous ambitionnons de réunir, nous voulons communiquer.*

Dans l'exergue du texte célèbre intitulé *Comment je crois* (1934, Éd. du Seuil) le Père Teilhard résume ainsi sa position :

Je crois que l'Univers est une Évolution
Je crois que l'Évolution va vers l'Esprit
Je crois que l'Esprit, dans l'Homme, s'achève en du Personnel
Je crois que le Personnel suprême est le Christ-Universel.

Mais naturellement il se heurte lui aussi, comme tous les monothéistes, à la question du mal, « la plus angoissante qui soit pour l'esprit humain », dit-il. Il entrevoit la solution suivante :

Dans le cosmos ancien, supposé sorti tout fait des mains du Créateur, il est naturel que la conciliation parût difficile entre un monde partiellement mauvais et l'existence d'un Dieu à la fois bon et tout-puissant. Mais dans nos perspectives [...] d'un univers en état de cosmogenèse, et plus particulièrement en état d'enroulement, [...] le problème ne se pose plus [...] Le mal c'est une des conséquences existentielles du multiple [...] Le multiple, parce que multiple, ne peut absolument pas progresser vers l'unité sans engendrer, quelque libre soit-il, du mal par nécessité statistique.

Le mal est donc constitué, en quelque sorte, par les sous-produits inévitables de l'évolution de l'univers, les essais, les ébauches, les « ratés » nécessaires de toute création. Mais le Père Teilhard n'oublie jamais quelles réalités de souffrances se cachent sous cette explication.

LA PEINE DE PLURALITÉ

La pluralité (un reste de pluralité inséparable de toute unification en cours) est la source la plus obvie de nos peines. C'est elle qui au dehors nous expose aux heurts, et nous rend sensibles à ces heurts. Et c'est elle qui, au dedans, nous rend fragiles et sujets à mille formes de désordres physiques. Tout ce qui n'est pas « fini d'organiser » doit inévitablement souffrir de son inorganisation résiduelle et de ses désorganisations possibles : telle est la condition humaine.

Il n'est pas besoin d'insister pour rappeler combien durement cette loi du plural sévit dans le Monde des corps. Mais il est utile à notre thèse de faire observer combien clairement elle s'étend au domaine physico-moral de l'Univers personnalisé. Regardons autour de nous. Dans la multitude des vivants qui se croisent, il y a d'abord une foule d'âmes faites pour se joindre, — des âmes qui s'apporteraient précisément l'une à l'autre le complément béatifiant qui leur manque, — et qui ne se reconnaîtront jamais. A quelles chances effrayantes ne tiennent pas les rencontres qui font le bonheur de nos vies ?... Dans le petit nombre des conjonctions réussies, il y a ensuite la difficulté, incroyable à surmonter, pour maintenir le contact extérieur des vies. A peine réunis, trop souvent, ceux qui s'aiment le plus sont l'un de l'autre séparés par les mêmes hasards qui les avaient rapprochés. Dans les cas exceptionnels, même, où est assurée paisiblement la présence, que de difficultés et que de risques dans les développements du contact intérieur : les labyrinthes où on s'entend sans pouvoir se trouver, les impasses où l'on se bute, les voies qui divergent, — les âmes qui, l'une dans l'autre, perdent leur chemin... Et si, enfin, par un comble de succès, l'un est parvenu au cœur de l'autre, ne reste-t-il pas cette ultime barrière de deux esprits qui, si proches qu'ils se fassent, n'arrivent jamais à être entièrement transparents l'un à l'autre, — parce qu'ils ne sont pas encore, parce qu'ils ne peuvent pas, avant la consommation finale, être l'un dans l'autre intériorisés ? — Unions manquées, unions brisées, unions inachevées : que de malchances, que de péripéties, et en mettant les choses au mieux, que d'obscurités et d'éloignement encore dans les unions les plus réussies !...

(*Esquisse d'un univers personnel*, Éditions du Seuil).

LES OMBRES DE LA FOI

Après ce que je viens de déclarer sur ma conviction qu'il existe un terme personnel divin à l'Évolution universelle, on pourrait penser que, en avant de ma vie, l'Avenir se découvre serein et illuminé. Pour moi, sans doute, la mort apparaît juste comme un de ces sommeils après lesquels nous ne doutons pas de voir se lever un glorieux matin.

Il n'en est rien.

Sûr, de plus en plus sûr, qu'il me faut marcher dans l'existence comme si au terme de l'Univers m'attendait le Christ, je n'éprouve cependant aucune assurance particulière de l'existence de celui-ci. Croire n'est pas voir. Autant que personne, j'imagine, je marche parmi les ombres de la foi.

Les ombres de la foi... Pour justifier cette obscurité si étrangement incompatible avec le soleil divin, les docteurs nous expliquent que le Seigneur, volontairement, se cache, afin d'éprouver notre amour. Il faut être incurablement perdu dans les jeux de l'esprit, il faut n'avoir jamais rencontré en soi et chez les autres la souffrance du doute, pour ne pas sentir ce que cette solution a de haïssable. Comment, mon Dieu, vos créatures seraient devant vous, perdues et angoissées, appelant au secours ? Il vous suffirait, pour les précipiter sur vous, de montrer un rayon de vos yeux, la frange de votre manteau, — et vous ne le feriez pas ?

L'obscurité de la foi, à mon avis, n'est qu'un des cas particuliers du problème du Mal. Et, pour en surmonter le scandale *mortel*, je n'aperçois qu'une voie possible : c'est de reconnaître que si Dieu nous laisse souffrir, pécher, douter, c'est qu'il *ne peut pas*, maintenant et d'un seul coup, nous guérir et se montrer. Et, s'il ne le peut pas, c'est uniquement parce que nous sommes encore *incapables*, en vertu du stade où se trouve l'Univers, de plus d'organisation et de plus de lumière.

Au cours d'une création qui se développe dans le Temps, le Mal est inévitable. Ici encore la solution libératrice nous est donné par l'Évolution.

Non, Dieu ne se cache pas, j'en suis sûr, pour que nous le cherchions, — pas plus qu'il ne nous laisse souffrir pour augmenter nos mérites. Bien au contraire, penché sur la Création qui monte à lui, il travaille de toutes ses forces à la béatifier et à l'illuminer. Comme une mère, il épie son nouveau-né. Mais nos yeux ne sauraient encore le percevoir. Ne faut-il pas justement toute la durée des siècles pour que notre regard s'ouvre à la lumière ?

Nos doutes, comme nos maux, sont le prix et la condition même d'un achèvement universel. J'accepte, dans ces conditions, de marcher jusqu'au bout sur une route dont je suis de plus en plus certain, vers des horizons de plus en plus noyés dans la brume.

Voilà comment je crois.

(*Comment je crois*. Épilogue, Éditions du Seuil).

---

1. Vous étudierez, en particulier dans les textes de Péguy, de Mauriac, de Bernanos, la conjonction du réalisme et du mysticisme. Comment se marque-t-elle, dans l'inspiration générale ? dans le mouvement même des phrases ?

2. Etudiez également de ce point de vue le personnage de la *Jeanne d'Arc* de Péguy. Vous paraît-il vrai, vivant ? « Enfin ce qu'il nous faudrait, mon Dieu, dit-elle, il faudrait nous envoyer une sainte... qui réussisse ». Imaginez-vous déjà, telle que Péguy nous la montre ici, qu'elle puisse devenir cette sainte ?

3. Quel effet produit sur vous le style de Péguy ? Vous agace-t-il ? ou vous fait-il participer plus directement au processus même de la pensée et des sentiments de Jeanne ? de Madame Gervaise ? de Péguy lui-même ? Motivez de façon précise votre réponse.

...

4. Estimez-vous d'autre part que ce style soit « populaire » ?
Romain Rolland écrit : « C'est là le miracle, que ce commencement du xxe siècle, qui a tant parlé d'un art du peuple,
d'un théâtre du peuple, sans parvenir à le réaliser, ait vu
son vœu accompli, sous la forme qu'il envisageait le moins,
par le tenace instinct non raisonné de Péguy ». Qu'en
pensez-vous ?

5. Vous discuterez, en essayant de vous placer successive-
ment du point de vue du croyant et de l'incroyant, les formules du curé d'Ambricourt : « Aucune société n'aura
raison du Pauvre... Le Pauvre *vit de la charité* ». Estimez-vous,
comme lui, que ce dernier mot soit un mot sublime ? Si oui
ou si non, pourquoi ?

6. Le curé d'Ambricourt envisage pourtant la victoire
provisoire possible, sur terre, d'une *aurea mediocritas*. On
verrait alors *refleurir partout*, dit-il, *les pauvretés volontaires
ainsi qu'un nouveau printemps*.
   Quel phénomène social de notre temps peut sembler
faire écho, de façon inattendue, à cette prédiction ? La
société de consommation vous donne-t-elle l'envie de
revenir à la pauvreté, — ou à une certaine pauvreté ?

7. « Pour moi, écrit Mauriac, dans *Dieu et Mammon*,
j'appartiens à la race de ceux qui, nés dans le catholicisme,
ont compris, à peine l'âge d'homme atteint, qu'ils ne pourraient jamais plus s'en évader, qu'il ne leur appartenait
pas d'en sortir, d'y rentrer. Ils étaient dedans, ils y sont,
ils y demeureront à jamais [...] J'y suis né ; je ne l'ai pas
choisie ; cette religion m'a été imposée dès ma naissance ».
Claudel et Péguy, au contraire, n'ont trouvé leur foi véritable qu'à l'âge adulte. Cette différence se trahit-elle dans
leurs œuvres ? Leurs explications du mal vous en paraissent-
elles modifiées ?

● LA RÉVOLTE ET L'ACTION CONTRE LE MAL

S'inspirant bien davantage, même si cela apparaît d'abord comme paradoxal, de l'auteur des *Pensées* que des philosophes du XVIIIe siècle à la conception du progrès quelque peu simpliste, l'athéisme contemporain reprend, souvent en propres termes, l'analyse pascalienne de la condition humaine. Roger Martin du Gard, Valéry, Malraux, Camus ne se départissent jamais d'une lucidité sans concession ; mais ils se révoltent, avec la même force, contre tout essai de justification métaphysique du mal ; ils invitent, contre lui, à l'action lucide et à la fraternité.

D'autres écrivains continuent de croire pourtant, à la suite des surréalistes, « qu'il existe un certain point de l'esprit d'où la vie et la mort, le réel et l'imaginaire, le passé et le futur, le communicable et l'incommunicable, [le bien et le mal] cessent d'être perçus contradictoirement ». « C'est en vain, dit André Breton, qu'on chercherait à l'activité surréaliste un autre mobile que l'espoir de détermination de ce point », et Henri Michaux recherche toujours patiemment « l'essentiel, le secret qu'il a depuis sa première enfance soupçonné d'exister quelque part ». « Le tout est dans une certaine floculation des choses, explique de même Antonin Artaud, dans le rassemblement de toute cette pierrerie mentale autour d'un point qui est justement à trouver. »

Le « voyage au bout du possible de l'homme », Georges Bataille, lui, va le tenter « par l'extase », par « la consumation », dit-il, — consumation qui, en raison même des nécessaires interdits sociaux, exige très souvent une « transgression », la volonté résolue du mal. Le mal devient alors le domaine par excellence de la littérature. « La littérature est communication. La communication commande la loyauté : la morale rigoureuse est donnée dans cette vue à partir de complicités dans la connaissance du Mal, qui fondent la communication intense [...] La littérature est l'essentiel, ou n'est rien. Le Mal — une forme aiguë du Mal — dont elle est l'expression, a pour nous, je le crois, la valeur souveraine ».

Ces recherches, disons-le nettement, n'ont donné naissance, à notre avis, à aucune grande œuvre comparable, même de très loin, à celle de Baudelaire. Comme l'avait trop bien prévu Artaud, le problème de la littérature dans cette perspective devient presque exclusivement celui de son impossibilité non seulement sociale, mais psychologique. En fait, quoique Bataille refuse le mot, il s'agit bien ici, selon le jugement de Sartre, d'un « nouveau mysticisme » plus ou moins coloré de scientisme, et dont les dangers sont évidents. « Ce que j'enseigne, écrit Bataille, est une ivresse, ce n'est pas une philosophie ; je ne suis pas un philosophe mais *un saint*, peut-être un fou ». Le pauvre Antonin Artaud, hélas, qui avait tenu à désavouer d'avance, dès 1932, certaines des interprétations délirantes que l'on pouvait donner peut-être à son *Théâtre de la cruauté* (« J'emploie ce mot de cruauté dans le sens d'appétit de vie, de rigueur cosmique et de nécessité implacable »), le pauvre Antonin Artaud et d'autres ont payé chèrement, par la perte totale de la raison, la défiance de la raison[1].

On cite souvent la première phrase de Gide : « C'est avec les beaux sentiments qu'on fait de la mauvaise littérature », et il est indéniable en effet que les bonnes intentions font souvent les mauvaises œuvres d'art. La volonté édificatrice n'est presque jamais source de beauté. — Mais l'obsession du mal pas davantage ! La seconde phrase de Gide précise avec la même netteté : il n'est pas vrai non plus « qu'on ne fasse de la bonne littérature qu'avec les mauvais sentiments », l'erreur serait sans doute encore plus simpliste.

Perpétuellement recréée par l'homme, comme toutes les valeurs qui l'aident à vivre, la beauté ne se laisse pas facilement circonscrire. Mais l'expérience montre qu'elle demeure, pratiquement, inséparable de la lucidité, de l'harmonie et de l'amour.

---

1. « Les surréalistes s'y sont jetés (aux délices de la perte de conscience) comme à une mer trompeuse, et, comme une mer trompeuse, voici que le surréalisme menace de les emporter vers un large où croisent les requins de la folie. » (Aragon, *Une vague de rêves*).

« Il ne faut pas périr mais vivre »
chante doucement et fortement Éluard.

« Il faut prendre notre bien
où nous voulons qu'il soit ».

Sélection bibliographique

VALÉRY : *Monsieur Teste, Eupalinos, Colloque dans un être* (Pléiade).

GIDE : *Journal* ; *Romans, Récits et Soties* (Pléiade).

R. MARTIN DU GARD : *Jean Barois, Les Thibault* (Livre de Poche). *Notes sur André Gide* (Gallimard).

CAMUS : *Le mythe de Sisyphe, La peste, L'homme révolté* (Gallimard).

B. VIAN : *L'écume des jours* (10-18).

SARTRE : *La nausée, Le diable et le bon Dieu* (Livre de Poche). *L'être et le néant* (Gallimard). *L'existentialisme est un humanisme* (Nagel).

A. ARTAUD : *Le théâtre et son double* (Gallimard).

G. BATAILLE : *Somme athéologique* (*L'expérience intérieure, Le coupable, La littérature et le mal* (Gallimard).

H. MICHAUX : *Qui je fus, Face aux verrous* (Gallimard).

R. CAILLOIS : *L'homme et le sacré* (Gallimard).

P. ÉLUARD : *Choix de poèmes* (Gallimard) *Poèmes pour tous* (Éditeurs français réunis).

Jean ROSTAND : *L'homme* (Gallimard) ; *Pensées, Carnet, Inquiétudes d'un biologiste* (Stock).

A. MALRAUX : *Les conquérants, la tentation de l'Occident, La voie royale, La condition humaine, L'espoir, Les noyers de l'Altenburg, Les voix du silence, Anti-mémoires I* (Gallimard & Livre de Poche).

J. DECOUR : *Philisterburg* (Gallimard) ; *Pages choisies* (Éditions de Minuit).

Paul Valéry

« IL N'Y A POINT DE POURQUOI QUAND IL S'AGIT DE LA VIE »

Colloque dans un être ! Au réveil, deux voix, deux forces se disputent « l'être » de l'écrivain. Valéry les nomme tout simplement A et B. « B » voudrait dormir encore, demeurer perdu dans le sein de la presque inconscience, de l'ensemble indistinct. « A » le presse de redevenir *lui*, lui-même, *un* homme, conscient, avide de vivre. « Dégage qui tu es. Il n'y a point de "pourquoi" quand il s'agit de la vie ». « B » en effet, peu à peu, se reprend, se reconstitue, se reconstruit. Il assume sa propre existence malgré tous les maux qui peuvent survenir, malgré la vieillesse et la mort... Il se lève.

A

Que fais-tu ? Tu bondis hors de tes draps ?

B

Debout... Je suis debout, Je frappe du talon nu la réalité du monde sensible...

A

C'est une manière de coup d'Etat... Et puis ?... Tu t'habillles ?

B

A peine. La mer est à deux pas. « *Je cours à l'onde en rejaillir vivant* ».

A

Et puis ?

B

Et puis... Je ferai ce qu'il faut. Je me sens tout à coup une énergie extraordinaire. Je me trouve chargé de vie et presque embarrassé d'une liberté de penser et d'agir qui m'envahit, comme fortement excitée par l'imminence des difficultés et des ennuis qui m'accablaient l'âme tout à l'heure.

A

Attention ! Je m'enchante de te voir si différent de celui qu'avec tant de peine j'arrachais à l'état de vie confuse. Véritablement je jouis de ta métamorphose. Tu n'étais rien et tu ferais tout ! Mais prends garde... N'abuse point de cette vigueur. Le soir existe. Il vient toujours.

B

Crois-tu que ma lucidité ne le voie point venir ? Crois-tu qu'elle ne pense point son propre crépuscule — et même ne l'admire ? N'est-ce pas une merveille supérieure que de penser que l'on possède en soi de quoi disparaître à soi-même, — cependant que toutes les choses, comme prises, quelles qu'elles soient, dans un seul et même filet qui les traîne insensiblement vers l'ombre, — les personnes, les pensées, les désirs, les valeurs et les biens et les maux, et mon corps et les dieux, se retirent, se dissolvent, s'anéantissent, s'obscurcissent ensemble ?... Rien n'a eu lieu. Tout s'efface à la fois. Est-ce beau ? Quand le navire sombre, le ciel s'évanouit et la mer s'évapore...

Mais à présent, ami, regarde comme ce poing est dur. Il frappe la table. La même force est dans mon cœur, qui est gros comme lui, et bat en plein le temps de ma puissance ! Je suis mesure et démesure, rigueur et tendresse, désir et dédain ; je me consume et j'accumule ; je m'aime et je me hais, et je me ressens, depuis le front jusqu'aux orteils, m'acceptant tel que je suis, quel que je sois, répondant de tout mon être à la question la plus simple du monde : *Que peut un homme ?*

(*Colloques dans un être*, Gallimard éditeur).

André Gide

« N'ACCEPTE PAS »

Dans *Les nourritures terrestres*, (1897), Gide écrivait déjà « Que mon livre t'enseigne à t'intéresser plus à toi qu'à lui-même, puis à tout le reste plus qu'à toi ». *Les nouvelles nourritures*, livre d'expérience écrit trente-huit ans plus tard, souligne beaucoup plus nettement encore l'impossibilité pour l'homme d'être heureux dans l'égoïsme, la nécessité pour lui de traquer le mal et l'injustice partout, de *conquérir* les joies de l'amour et de la fraternité. « Mon bonheur est d'augmenter celui des autres, j'ai besoin du bonheur de tous pour être heureux ». Au seuil de la vieillesse, Gide repousse plus que jamais la résignation au mal et à la mollesse.

O toi pour qui j'écris — que j'appelais autrefois d'un nom qui me paraît aujourd'hui trop plaintif : Nathanaël, que j'appelle aujourd'hui : camarade — n'admets plus rien de plaintif en ton cœur.

Sache obtenir de toi ce qui rende la plainte inutile. N'implore plus d'autrui ce que, toi, tu peux obtenir.

J'ai vécu ; maintenant c'est ton tour. C'est en toi désormais que se prolongera ma jeunesse. Je te passe pouvoir. Si je te sens me succéder, j'accepterai mieux de mourir. Je reporte sur toi mon espoir.

De te sentir vaillant me permet de quitter sans regrets la vie. Prends ma joie. Fais ton bonheur d'augmenter celui de tous. Travaille et lutte et n'accepte de mal rien de ce que tu pourrais changer. Sache te répéter sans cesse : il ne tient qu'à moi. On ne prend point son parti sans lâcheté de tout le mal qui dépend des hommes. Cesse de croire, si tu l'as jamais cru, que la sagesse est dans la résignation ; ou cesse de prétendre à la sagesse.

Camarade, n'accepte pas la vie telle que te la proposent les hommes. Ne cesse point de te persuader qu'elle pourrait être plus belle, la vie ; la tienne et celle des autres hommes ; non point une autre, future, qui nous consolerait de celle-ci et qui nous aiderait à accepter sa misère. N'accepte pas. Du jour où tu commenceras à comprendre que le responsable de presque tous les maux de la vie, ce n'est pas Dieu, ce sont les hommes, tu ne prendras plus ton parti de ces maux.

Ne sacrifie pas aux idoles

(*Les nouvelles nourritures*, dernière page, Gallimard éditeur).

ŒDIPE ET THÉSÉE

Thésée, paru en 1951, est comme le testament d'André Gide. Ce récit très bref, aussi rapide que son héros dans le stade, réunit à la lumière de la Grèce, dans une utilisation souriante des mythes et des symboles les plus divers, tous les thèmes de l'œuvre gidienne. Nous en donnons la dernière page. Aveugle, Œdipe a retrouvé la foi. Thésée ne le blâme point et même il va utiliser son prestige, mais il n'entend pas suivre la même voie.

— Cher Œdipe, lui dis-je quand j'eus compris qu'il avait cessé de parler, je ne puis que te louer de cette sorte de sagesse surhumaine que tu professes. Mais ma pensée, sur cette route, ne saurait accompagner la tienne. Je reste enfant de cette terre et crois que l'homme, quel qu'il soit et si taré que tu le juges, doit faire jeu des cartes qu'il a. Sans doute as-tu su faire bon usage de ton infortune même et tirer parti d'elle pour en obtenir un contact plus intime avec ce que tu nommes le divin. Au surplus, je me persuade volontiers qu'une sorte de bénédiction est attachée à ta personne et qu'elle se reportera, selon ce qu'ont dit les oracles, sur la terre où pour toujours tu reposeras.

Je n'ajoutai point que ce qui m'importait c'est que ce sol fût celui de l'Attique et me félicitai que les Dieux aient su faire aboutir Thèbes à moi.

Si je compare à celui d'Œdipe mon destin, je suis content : je l'ai rempli. Derrière moi, je laisse la cité d'Athènes. Plus encore que ma femme et mon fils, je l'ai chérie. J'ai fait ma ville. Après moi, saura l'habiter immortellement ma pensée. C'est consentant que j'approche la mort solitaire. J'ai goûté des biens de la terre. Il m'est doux de penser qu'après moi, grâce à moi, les hommes se reconnaîtront plus heureux, meilleurs et plus libres. Pour le bien de l'humanité future, j'ai fait mon œuvre. J'ai vécu.

(*Thésée*, dernière page, Gallimard éditeur).

Roger Martin du Gard

« UN CONSENTEMENT EXEMPLAIRE »

On ne saurait manquer de comparer la conclusion ci-contre du dernier ouvrage de Gide avec la conclusion de sa vie même telle que nous la rapporte son ami Roger Martin du Gard. Gide a 81 ans ; la maladie et toutes les misères physiques de la vieillesse le frappent durement, mais ses forces intellectuelles sont intactes.

Quand, le matin, j'accours dans sa chambre, anxieux de savoir si la fièvre a enfin cédé, et quels ont été les incidents de la nuit, il se refuse d'abord à tout interrogatoire : ce qu'il est pressé de me dire est beaucoup plus urgent à ses yeux ! Si j'insiste, si je veux consulter la feuille de température ou questionner l'infirmière, il se fâche, me fait signe d'approcher, m'attire tout près du lit pour ménager son essoufflement, et, d'une voix basse, entrecoupée, il résume pour moi ses méditations de la nuit :

— « Avez-vous jamais réfléchi à ceci, cher ? Les hommes, pendant des siècles, n'avaient guère douté de leur double nature... Ils savaient leur corps périssable, mais leur âme éternelle... Et, tout à coup, cette certitude leur échappe !... Tout à coup, voilà que l'humanité cesse de croire à cette immortalité spirituelle !... L'importance de ce fait ! N'est-ce pas une chose bouleversante, cher ? »

Un autre jour, c'est à la sottise du haut clergé qu'il en a. Il a parcouru, cette nuit, une anthologie des œuvres du Cardinal Midzenty. Je le trouve écœuré, indigné, révolté — et pugnace :

— « Le tragique procès de Prague m'avait atterré. Mais lisez les sermons, les lettres pastorales du pauvre cardinal ! C'est d'une platitude, d'une puérilité, d'une indigence de pensée, in-dé-pas-sa-bles ! » Son visage fiévreux se crispe, le regard devient dur. Il halète, mais il tient à poursuivre : « Non, non ! Les Églises et la Foi ont vraiment fait trop de mal !... Je ne peux pas rester indifférent : jusqu'au bout je me refuserai à accepter ça !... Il faut détrôner les Églises ! Déjouer leurs ruses ! Arracher l'homme à leur envoûtement !... Vous êtes trop conciliant, cher ! La tolérance, c'est donner des armes à l'Adversaire ! Si l'on renonce à combattre, autant capituler tout de suite, autant s'avouer vaincu... Moi, je ne veux pas laisser faire ! Tant que j'aurai un souffle, ce sera pour crier : *Non* ! aux Églises ! »

Ce matin, après une mauvaise nuit, il se plaint, ce qui est rare. Il dénombre, en souriant, les infirmités, les misères, de son vieux corps malade qu'on crible de piqûres.

— « C'est à des moments comme ceux que vous traversez », dis-je, « qu'il serait merveilleusement consolant de se croire une âme immortelle... »

Il rit : — « Ma foi, non ! A cet égard, ni la vieillesse, ni la maladie, ni le voisinage de la mort, n'ont d'effet sur moi... Je ne rêve à aucune survie... Au contraire : plus je vais, et plus l'hypothèse de l'au-delà m'est inacceptable... *Instinctivement*, et *intellectuellement* ! » Puis, après une pause : — « Je crois d'ailleurs, ce disant, me montrer beaucoup plus authentiquement *spiritualiste* que les croyants... C'est une idée que je rumine souvent et que j'aimerais pouvoir développer un peu, si le temps m'en est laissé... »

(Il me dit cela avec une sorte d'allègre sérénité, juste le lendemain du jour où, à deux kilomètres d'ici, Maurice Maeterlinck, atteint d'une crise cardiaque, murmurait en expirant — du moins, c'est ce qu'affirme la presse locale : — « Vive l'immortalité ! »)

Paris, lundi, 19 février 1951.

Il était exactement 22 heures 20.

Depuis hier, je n'ai plus vu se soulever ses paupières. Tristesse recueillie, plutôt que douleur.

Le calme de cette fin est bienfaisant ; ce renoncement, ce consentement exemplaire aux lois naturelles, sont contagieux.

Il faut lui savoir un gré infini d'avoir su mourir aussi *bien*.

(*Notes sur André Gide*, Gallimard éditeur).

Albert Camus

« UN SCANDALE »

La peste ravage la ville d'Oran, qu'il a fallu isoler du monde. Elle frappe les riches et les pauvres, les êtres pleins de santé comme les infirmes, les imbéciles comme les gens intelligents, les innocents comme les coupables. Le Père Paneloux, jésuite, a prononcé à la cathédrale un sermon saisissant : « Mes frères, vous êtes dans le malheur ; mes frères, vous l'avez mérité... Vous avez cru qu'il vous suffirait de visiter Dieu le dimanche pour être libres de vos journées. Vous avez pensé que quelques génuflexions le paieraient bien assez de votre insouciance criminelle. Mais Dieu n'est pas tiède. Ces rapports espacés ne suffisaient pas à sa dévorante tendresse. Il voulait vous voir plus longtemps, c'est sa manière de vous aimer et, à vrai dire, c'est la seule manière d'aimer. Voilà pourquoi fatigué d'attendre votre venue, il a laissé le fléau vous visiter comme il a visité toutes les villes du péché depuis que les hommes ont une histoire... Vous savez maintenant, et enfin, qu'il faut en venir à l'essentiel ».

Le Père Paneloux, cependant, coopère de toutes ses forces avec les docteurs Rieux et Castel, avec les équipes médicales de Tarrou, pour essayer de vaincre le fléau. Ce matin, tous sont venus, dans une salle de classe transformée en salle d'hôpital, au chevet d'un petit garçon sur lequel Rieux a essayé la veille un nouveau sérum préparé par Castel.

Le docteur serrait avec force la barre du lit où gémissait l'enfant. Il ne quittait pas des yeux le petit malade qui se raidit brusquement et, les dents de nouveau serrées, se creusa un peu au niveau de la taille, écartant lentement les bras et les jambes. Du petit corps, nu sous la couverture militaire [1],

---

1. L'équipement sanitaire est dramatiquement insuffisant pour l'importance de l'épidémie ; les salles de classe des écoles sont transformées en salles d'hôpital, et l'armée a prêté son matériel.

191

montait une odeur de laine et d'aigre sueur. L'enfant se détendit peu à peu, ramena bras et jambes vers le centre du lit et, toujours aveugle et muet, parut respirer plus vite. Rieux rencontra le regard de Tarrou qui détourna les yeux.

Ils avaient déjà vu mourir des enfants puisque la terreur, depuis des mois, ne choisissait pas, mais ils n'avaient jamais encore suivi leurs souffrances minute après minute, comme ils le faisaient depuis le matin. Et, bien entendu, la douleur infligée à ces innocents n'avait jamais cessé de leur paraître ce qu'elle était en vérité, c'est-à-dire un scandale. Mais jusque-là du moins, ils se scandalisaient abstraitement en quelque sorte, parce qu'ils n'avaient jamais regardé en face, si longuement, l'agonie d'un innocent.

Justement l'enfant, comme mordu à l'estomac, se pliait à nouveau, avec un gémissement grêle. Il resta creusé ainsi pendant de longues secondes, secoué de frissons et de tremblements convulsifs, comme si sa frêle carcasse pliait sous le vent furieux de la peste et craquait sous les souffles répétés de la fièvre. La bourrasque passée, il se détendit un peu, la fièvre sembla se retirer et l'abandonner, haletant, sur une grève humide et empoisonnée où le repos ressemblait déjà à la mort. Quand le flot brûlant l'atteignit à nouveau pour la troisième fois et le souleva un peu, l'enfant se recroquevilla, recula au fond du lit dans l'épouvante de la flamme qui le brûlait et agita follement la tête, en rejetant sa couverture. De grosses larmes, jaillissant sous les paupières enflammées, se mirent à couler sur son visage plombé, et, au bout de la crise, épuisé, crispant ses jambes osseuses et ses bras dont la chair avait fondu en quarante-huit heures, l'enfant prit dans le lit dévasté une pose de crucifié grotesque.

Tarrou se pencha et, de sa lourde main, essuya le petit visage trempé de larmes et de sueur. Depuis un moment, Castel avait fermé son livre et regardait le malade [1]. Il commença une phrase, mais fut obligé de tousser pour pouvoir la terminer, parce que sa voix détonait brusquement :

— Il n'y a pas eu de rémission matinale, n'est-ce pas, Rieux ?

Rieux dit que non, mais que l'enfant résistait depuis plus longtemps qu'il n'était normal. Paneloux, qui semblait un peu affaissé contre le mur, dit alors sourdement :

— S'il doit mourir, il aura souffert plus longtemps.

Rieux se retourna brusquement vers lui et ouvrit la bouche pour parler, mais il se tut, fit un effort visible pour se dominer, et ramena son regard sur l'enfant.

La lumière s'enflait dans la salle. Sur les cinq autres lits, des formes remuaient et gémissaient, mais avec une discrétion qui semblait concertée. Le seul qui criât, à l'autre bout de la salle, poussait à intervalles réguliers de petites exclamations qui paraissaient traduire plus d'étonnement que de douleur. Il semblait que, même pour les malades, ce ne fût pas l'effroi du début. Il y avait même, maintenant, une sorte de consentement dans leur manière de prendre la maladie. Seul, l'enfant se débattait de toutes ses forces. Rieux qui, de temps en temps, lui prenait le pouls, sans nécessité d'ailleurs et plutôt pour sortir de l'immobilité impuissante où il était, sentait, en fermant les yeux, cette agitation se mêler au tumulte de son propre sang. Il se confondait alors avec l'enfant supplicié et tentait de le soutenir de toute sa force encore intacte. Mais une minute réunies, les pulsations de leurs deux cœurs se désaccordaient, l'enfant lui échappait, et son effort sombrait dans le vide. Il lâchait alors le mince poignet et retournait à sa place.

---

1. Castel veille le petit depuis 4 heures du matin. Jusque-là il a pu lire « avec toutes les apparences de la tranquillité, un vieil ouvrage » — mais il ne peut plus.

Le long des murs peints à la chaux, la lumière passait du rose au jaune. Derrière la vitre, une matinée de chaleur commençait à crépiter. C'est à peine si on entendit Grand partir en disant qu'il reviendrait. Tous attendaient. L'enfant, les yeux toujours fermés, semblait se calmer un peu. Les mains, devenues comme des griffes, labouraient doucement les flancs du lit. Elles remontèrent, grattèrent la couverture près des genoux, et, soudain, l'enfant plia ses jambes, ramena ses cuisses près du ventre et s'immobilisa. Il ouvrit alors les yeux pour la première fois et regarda Rieux qui se trouvait devant lui. Au creux de son visage maintenant figé dans une argile grise, la bouche s'ouvrit et, presque aussitôt, il en sortit un seul cri continu, que la respiration nuançait à peine, et qui emplit soudain la salle d'une protestation monotone, discorde, et si peu humaine qu'elle semblait venir de tous les hommes à la fois. Rieux serrait les dents et Tarrou se détourna. Rambert s'approcha du lit près de Castel qui ferma le livre, resté ouvert sur ses genoux. Paneloux regarda cette bouche enfantine, souillée par la maladie, pleine de ce cri de tous les âges. Et il se laissa glisser à genoux et tout le monde trouva naturel de l'entendre dire d'une voix, un peu étouffée, mais distincte derrière la plainte anonyme qui n'arrêtait pas : « Mon Dieu, sauvez cet enfant ».

Mais l'enfant continuait de crier et, tout autour de lui, les malades s'agitèrent. Celui dont les exclamations n'avaient pas cessé, à l'autre bout de la pièce, précipita le rythme de sa plainte jusqu'à en faire, lui aussi, un vrai cri, pendant que les autres gémissaient de plus en plus fort. Une marée de sanglots déferla dans la salle, couvrant la prière de Paneloux, et Rieux, accroché à sa barre de lit, ferma les yeux, ivre de fatigue et de dégoût.

Quand il les rouvrit, il trouva Tarrou près de lui.

— Il faut que je m'en aille, dit Rieux. Je ne peux plus les supporter.

Mais brusquement, les autres malades se turent. Le docteur reconnut alors que le cri de l'enfant avait faibli, qu'il faiblissait encore et qu'il venait de s'arrêter. Autour de lui, les plaintes reprenaient, mais sourdement, et comme un écho lointain de cette lutte qui venait de s'achever. Car elle s'était achevée. Castel était passé de l'autre côté du lit et dit que c'était fini. La bouche ouverte, mais muette, l'enfant reposait au creux des couvertures en désordre, rapetissé tout d'un coup, avec des restes de larmes sur son visage.

Paneloux s'approcha du lit et fit les gestes de la bénédiction. Puis il ramassa ses robes et sortit par l'allée centrale.

— Faudra-t-il tout recommencer ? demanda Tarrou à Castel.

Le vieux docteur secouait la tête.

— Peut-être, dit-il avec un sourire crispé. Après tout, il a longtemps résisté.

Mais Rieux quittait déjà la salle, d'un pas si précipité, et avec un tel air, que lorsqu'il dépassa Paneloux, celui-ci tendit le bras pour le retenir.

— Allons, docteur, lui dit-il.

Dans le même mouvement emporté, Rieux se retourna et lui jeta avec violence :

— Ah ! celui-là, au moins, était innocent, vous le savez bien !

Puis il se détourna et, franchissant les portes de la salle avant Paneloux, il gagna le fond de la cour d'école. Il s'assit sur un banc, entre les petits arbres poudreux, et essuya la sueur qui lui coulait déjà dans les yeux. Il avait envie de crier encore pour dénouer enfin le nœud violent qui lui broyait le cœur. La chaleur tombait lentement entre les branches des ficus. Le ciel bleu du matin se couvrait rapidement d'une taie blanchâtre qui rendait l'air plus étouffant. Rieux se laissa aller sur son banc. Il regardait les branches, le ciel, retrouvant lentement sa respiration, ravalant peu à peu sa fatigue.

— Pourquoi m'avoir parlé avec cette colère ? dit une voix derrière lui. Pour moi aussi, ce spectacle était insupportable.

Rieux se retourna vers Paneloux :

— C'est vrai, dit-il. Pardonnez-moi. Mais la fatigue est une folie. Et il y a des heures dans cette ville où je ne sens plus que ma révolte.

— Je comprends, murmura Paneloux. Cela est révoltant parce que cela passe notre mesure. Mais peut-être devons-nous aimer ce que nous ne pouvons pas comprendre.

Rieux se redressa d'un seul coup. Il regardait Paneloux, avec toute la force et la passion dont il était capable, et secouait la tête.

— Non, mon père, dit-il. Je me fais une autre idée de l'amour. Et je refuserai jusqu'à la mort d'aimer cette « création » où des enfants sont torturés.

Sur le visage de Paneloux, une ombre bouleversée passa.

— Ah ! docteur, fit-il avec tristesse, je viens de comprendre ce qu'on appelle la grâce.

Mais Rieux s'était laissé aller de nouveau sur son banc. Du fond de sa fatigue revenue, il répondit avec plus de douceur :

— C'est ce que je n'ai pas, je le sais. Mais je ne veux pas discuter cela avec vous. Nous travaillons ensemble pour quelque chose qui nous réunit au delà des blasphèmes et des prières. Cela seul est important.

Paneloux s'assit près de Rieux. Il avait l'air ému.

— Oui, dit-il oui, vous aussi vous travaillez pour le salut de l'homme.

Rieux essayait de sourire.

— Le salut de l'homme est un trop grand mot pour moi. Je ne vais pas si loin. C'est sa santé qui m'intéresse, sa santé d'abord.

Paneloux hésita.

— Docteur, dit-il.

Mais il s'arrêta. Sur son front aussi la sueur commençait à ruisseler. Il murmura : « Au revoir » et ses yeux brillaient quand il se leva. Il allait partir quand Rieux, qui réfléchissait, se leva aussi et fit un pas vers lui.

— Pardonnez-moi encore, dit-il. Cet éclat ne se renouvellera plus.

Paneloux tendit sa main et dit avec tristesse :

— Et pourtant je ne vous ai pas convaincu !

— Qu'est-ce que cela fait ? dit Rieux. Ce que je hais, c'est la mort et le mal, vous le savez bien. Et que vous le vouliez ou non, nous sommes ensemble pour les souffrir et les combattre.

Rieux retenait la main de Paneloux.

— Vous voyez, dit-il en évitant de le regarder, Dieu lui-même ne peut maintenant nous séparer.

(*La peste*, Gallimard éditeur).

---

1. Dans cette scène comme dans tout le roman de *La peste*, Camus s'en tient volontairement à une narration extrêmement simple, sans aucun souci apparent de style, mais très précise, dont tous ceux qui ont assisté à des scènes semblables, pendant la guerre par exemple, peuvent attester la vérité. Montrez, de façon détaillée, quel effet très puissant produit sur nous ce réalisme.

2. Montrez aussi que l'auteur demeure constamment présent dans cette description, — tantôt par une intervention directe, tantôt par des notations qui, tout en demeurant extrêmement précises, dépassent le réalisme proprement dit et suscitent déjà en nous, avant le dialogue final, les réflexions que Camus veut nous soumettre. Quels mouvements sont particulièrement frappants ?

3. La montée dramatique de la scène. Elle est liée à la prolongation de l'agonie de l'enfant, mais plus encore aux réflexions qu'on devine être, de plus en plus, celles des deux personnages principaux. Dégagez les étapes de ce crescendo.

4. Notez l'enchaînement des réactions psychologiques de Rieux et de Paneloux. Montrez avec quelle justesse elles sont observées et rendues.

5. Camus vous paraît-il partial, et caricaturer dans une certaine mesure comme on l'en a accusé, la position de Paneloux ? Comparez la réponse : « Ah, docteur, je viens de comprendre ce qu'on appelle la grâce » avec les textes de Pascal, Claudel, Mauriac cités dans ce volume... Vous comparerez également la scène, si vous pouvez lire *Sous le soleil de Satan* de Bernanos, avec le passage de ce roman où l'abbé Donissan, bouleversé par la mort d'un enfant, supplie Dieu, en vain, de faire un miracle.

6. Sur quelle grande leçon se conclut la scène, bien que chacun des deux personnages demeure strictement sur sa position. Comparez avec ce que vous savez de l'attitude, sous l'occupation nazie, de ceux qui croyaient au ciel, de ceux qui n'y croyaient pas (cf. le célèbre poème d'Aragon dans *La Diane française*).

7. Pourquoi le docteur Rieux évite-t-il de regarder Paneloux en lui disant : « Vous voyez, Dieu lui-même ne peut maintenant nous séparer » ?

Boris Vian

LE MARIAGE DE COLIN ET CHLOÉ

Bien qu'il y soit à peine formulé, le problème du mal est constamment présent dans *L'écume des jours*, « le plus poignant des romans d'amour contemporains », dit Raymond Queneau, le plus naturel et le plus tendre dans son étrangeté, le plus dénonciateur peut-être, le plus personnel et le plus douloureux.

1. Il peut cependant être d'une violence extrême, et injuste, lorsqu'il est frappé brusquement par le malheur de celle qu'il aime.

Colin aime l'amour, Colin aime Chloé. Il est simple et doux comme ses désirs, profondément bon et généreux. Ce qui l'intéresse, dit-il, ce n'est pas le bonheur de tous les hommes, c'est le bonheur de chacun. Il veut faire le bonheur de Chloé.

Il n'a rien négligé pour que la cérémonie du mariage soit parfaite.

Le Chuiche et le Bedon, cabriolant dans leur beaux habits, apparurent, précédant le Religieux qui conduisait le Chevêche. Tout le monde se leva, et le Chevêche s'assit dans un grand fauteuil en velours. Le bruit des chaises sur les dalles était très harmonieux.

La musique s'arrêta soudain. Le Religieux s'agenouilla devant l'autel, tapa trois fois sa tête par terre et le Bedon se dirigea vers Colin et Chloé pour les mener à leur place tandis que le Chuiche faisait ranger les enfants de Foi des deux côtés de l'autel. Il y avait, maintenant, un très profond silence dans l'église et les gens retenaient leurs haleines.

Partout, de grandes lumières envoyaient des faisceaux de rayons sur des choses dorées qui les faisaient éclater dans tous les sens et les larges raies jaunes et violettes de l'église donnaient à la nef l'aspect de l'abdomen d'une énorme guêpe couchée, vue de l'intérieur.

Très haut, les musiciens commencèrent un chœur vague. Les nuages entraient. Ils avaient une odeur de coriandre et d'herbe des montagnes. Il faisait chaud dans l'église et on se sentait enveloppé d'une atmosphère bénigne et ouatée.

Agenouillés devant l'autel, sur deux prioirs recouverts de velours blanc, Colin et Chloé, la main dans la main attendaient. Le Religieux, devant eux, compulsait rapidement un gros livre, car il ne se rappelait plus les formules. De temps à autre, il se retournait pour jeter un coup d'œil à Chloé dont il aimait bien la robe. Enfin, il s'arrêta de tourner les pages, se redressa, fit, de la main, un signe au chef d'orchestre qui attaqua l'ouverture.

Le Religieux prit son souffle et commença de chanter le cérémonial, soutenu par un fond de onze trompettes bouchées jouant à l'unisson. Le Chevêche somnolait doucement, la main sur la crosse. Il savait qu'on le réveillerait au moment de chanter à son tour.

L'ouverture et le cérémonial étaient écrits sur des thèmes classiques de blues. Pour l'Engagement, Colin avait demandé que l'on jouât l'arrangement de Duke Ellington sur un vieil air bien connu, *Chloé*.

Devant Colin, accroché à la paroi, on voyait Jésus sur une grande croix noire. Il paraissait heureux d'avoir été invité et regardait tout cela avec intérêt. Colin tenait la main de Chloé et souriait vaguement à Jésus. Il était un peu fatigué. La cérémonie lui revenait très cher, cinq mille doublezons et il était content qu'elle fût réussie.

Il y avait des fleurs tout autour de l'autel. Il aimait la musique que l'on jouait en ce moment. Il vit le Religieux devant lui et reconnut l'air. Alors, il ferma doucement les yeux, il se pencha un peu en avant, et il dit : « Oui ».

Chloé dit « Oui » aussi et le Religieux leur serra vigoureusement la main. L'orchestre repartit de plus belle et le Chevêche se leva pour l'Exhortation. Le Chuiche se glissait entre deux rangées de personnes pour donner un grand coup de canne sur les doigts de Chick qui venait d'ouvrir son livre, au lieu d'écouter.

(*L'écume des jours*, XXI, Pauvert éditeur).

« QUI EST-CE QUE CELA REGARDE ? »

Chloé tombe gravement malade. Un poumon est atteint, puis l'autre. La médecine est impuissante. Colin et Chloé savent que leur amour même ne peut rien contre la maladie. Le monde se rétrécit autour d'eux, s'étrique, se décolore ; toutes les choses se défont d'elles-mêmes... Et Chloé meurt. Colin, qui a dépensé tout son argent pour la soigner, ne peut commander pour elle, à crédit, qu'un enterrement de pauvre.

Très peu de gens suivaient le camion, Nicolas, Isis et Colin, et deux ou trois qu'ils ne connaissaient pas. Le camion allait assez vite. Ils durent courir pour le suivre. Le conducteur chantait à tue-tête. Il ne se taisait qu'à partir de deux cent cinquante doublezons.

Devant l'église, on s'arrêta, et la boîte noire resta là pendant qu'ils entraient pour la cérémonie. Le Religieux, l'air renfrogné, leur tournait le dos et commençait à s'agiter sans conviction. Colin restait debout devant l'autel.

Il leva les yeux : devant lui, accroché à la paroi, il y avait Jésus sur sa croix. Il avait l'air de s'ennuyer et Colin lui demanda :

— Pourquoi est-ce que Chloé est morte ?

— Je n'ai aucune responsabilité là-dedans, dit Jésus. Si nous parlions d'autre chose...

— Qui est-ce que cela regarde ? demanda Colin.

Ils s'entretenaient à voix très basse et les autres n'entendaient pas leur conversation.

— Ce n'est pas nous, en tout cas, dit Jésus.

— Je vous avais invité à mon mariage, dit Colin.

— C'était réussi, dit Jésus, je me suis bien amusé. Pourquoi n'avez-vous pas donné plus d'argent, cette fois-ci ?

— Je n'en ai plus, dit Colin, et puis, ce n'est plus mon mariage, cette fois-ci.

— Oui, dit Jésus.

Il paraissait gêné.

— C'est différent, dit Colin. Cette fois, Chloé est morte... Je n'aime pas l'idée de cette boîte noire.

— Mmmmmm... dit Jésus.

Il regardait ailleurs et semblait s'ennuyer. Le Religieux tournait une crécelle en hurlant des vers latins.

— Pourquoi l'avez-vous fait mourir ? demanda Colin.

— Oh !... dit Jésus. N'insistez pas.

Il chercha une position plus commode sur ces clous.

— Elle était si douce, dit Colin. Jamais elle n'a fait le mal, ni en pensée, ni en action.

— Ça n'a aucun rapport avec la religion, marmonna Jésus en baîllant.

Il secoua un peu la tête pour changer l'inclinaison de sa couronne d'épines.

— Je ne vois pas ce que nous avons fait, dit Colin. Nous ne méritions pas cela.

Il baissa les yeux. Jésus ne répondit pas. Colin releva la tête. La poitrine de Jésus se soulevait doucement et régulièrement. Ses traits respiraient le calme. Ses yeux s'étaient fermés et Colin entendit sortir de ses narines un léger ronronnement de satisfaction, comme un chat repu. A ce moment, le Religieux sautait d'un pied sur l'autre et soufflait dans un tube, et la cérémonie était finie.

Le Religieux quitta le premier l'église et retourna dans la sacristoche mettre de gros souliers à clous.

. . . .

— C'est la vie, dit Chick, l'ami de Colin.
— Non, dit Colin.

(*L'écume des jours* XXXV, LXV, Pauvert éditeur).

Jean-Paul Sartre

LE PARI DU BIEN

1524, la guerre des paysans en Allemagne. Gœtz, bâtard de grand seigneur, mais le plus capable des généraux de l'époque, sert et trahit toutes les causes pour essayer de s'affirmer, de se trouver, d'exister enfin lui-même. Il sent pourtant qu'en réalité il est « mené » — qu'il joue comme il peut, c'est-à-dire en cabotin, une comédie atroce dont le texte a été écrit par un autre, la Comédie du Mal... Va-t-il accepter ce soir, comme tout l'y pousse, de massacrer les 20 000 habitants de la ville de Worms, dont les principaux chefs sont tombés entre ses mains, dont un autre bâtard, le curé Heinrich, fils du Clergé et de la Misère, vient de lui apporter la clé ? Tout est prêt. Il a donné ses ordres.

GŒTZ

Voilà. Je n'oublie rien... Non ! Je crois que c'est tout. (*Un temps*) Toujours pas de miracle : je commence à croire que Dieu me laisse carte blanche. Merci, mon Dieu, merci beaucoup. Merci pour les femmes violées, merci pour les enfants empalés, merci pour les hommes décapités.

(*Un temps*) Si je voulais parler ! J'en sais long, va, sale hypocrite.

Tiens, Nasty[1], je vais te casser le morceau : *Dieu se sert de moi*. Tu as vu, cette nuit : eh bien, il m'a fait relancer par ses anges.

HEINRICH

Ses anges ?

GŒTZ

Vous tous. Catherine est très certainement un ange. Toi aussi, le banquier aussi. (*Revenant à*

---

1. *Nasty* est le chef dévoué mystique et cynique du peuple révolté, il a fait assassiner l'évêque en prétendant que celui-ci cachait du blé dans ses greniers. *Heinrich*, déchiré entre ses deux appartenances à l'Eglise et au peuple des pauvres, a finalement livré la ville pour empêcher un massacre des prêtres par les pauvres, au risque même d'un massacre des pauvres par les alliés des prêtres. *Catherine* est la maîtresse de Gœtz, elle l'aime et elle le hait passionnément.

Nasty). Et cette clé ? Est-ce que je la lui demandais, moi, cette clé ? Je n'en soupçonnais pas même l'existence : mais il a fallu qu'il charge un de ses curés de me la mettre dans la main. Tu sais ce qu'il veut, naturellement : que je lui sauve sa prêtraille et ses nonnes. Alors il me tente, en douce, il fait naître des occasions sans se compromettre. Si je suis pris, il aura le droit de me désavouer : après tout, je pouvais lancer la clé dans le ravin.

NASTY

Eh bien, oui, tu le pouvais, tu le peux encore.

GŒTZ

Voyons mon ange : tu sais bien que je le peux pas.

NASTY

Pourquoi pas ?

GŒTZ

Parce que je peux pas être un autre que moi. Allons, je vais prendre un bon petit bain de sang pour lui rendre service. Mais quand ce sera fini, il va encore se boucher le nez et crier qu'il n'avait pas voulu cela. Tu ne le veux pas, Seigneur, vraiment ? Alors il est encore temps d'empêcher. Je ne réclame pas que le ciel me tombe sur la tête; un crachat suffira : je glisse dessus, je me romps la cuisse, fini pour aujourd'hui. Non ? Bon, bon. Je n'insiste pas. Tiens, Nasty, regarde cette clé : c'est bon, une clé, c'est utile. Et des mains, donc ! C'est du bel ouvrage : il faut louer Dieu de nous en avoir donné. Alors une clé dans une main, ça ne peut pas être mauvais : louons Dieu pour toutes les mains qui tiennent des clés en cet instant dans toutes les contrées du monde. Mais quant à ce que la main fait de la clé, le Seigneur décline toute responsabilité, ça ne le regarde plus, le pauvre. Oui, Seigneur, vous êtes l'innocence même : comment concevriez-vous le Néant, vous qui êtes la plénitude ? Votre regard est lumière et change tout en lumière : comment connaîtriez-vous le demi-jour de mon cœur ? Et votre entendement infini, comment pourrait-il entrer dans mes raisons

**Francois Périer (Gœtz)
et Alain Mottet (Heinrich)**

dans *Le diable et le bon Dieu*, mis en scène par Georges Wilson
au T.N.P. en 1968.

sans les faire éclater ? Haine et faiblesse, violence, mort, déplaisir, c'est ce qui vient de l'homme seul ; c'est mon seul empire et je suis seul dedans : ce qui s'y passe n'est imputable qu'à moi. Va, va, je prends tout sur moi et je ne dirai rien. Au jour du jugement, motus, bouche cousue, j'ai trop de fierté, je me laisserai condamner sans piper mot. Mais ça ne te gêne pas un peu, un tout petit peu d'avoir damné ton homme de main ? J'y vais, j'y vais : les soldats attendent, la bonne clé m'entraîne, elle veut retrouver sa serrure natale. (*A la sortie, il se retourne*). Connaissez-vous mon pareil ? Je suis l'homme qui met le Tout-Puissant mal à l'aise. En moi, Dieu prend horreur de lui-même ! Il y a vingt mille nobles, trente archevêques, quinze rois, on a vu trois empereurs à la fois, un pape et un anti-pape, mais citez-moi un autre Gœtz ? Quelquefois, j'imagine l'Enfer comme un désert qui n'attend que moi. Adieu. (*Il va pour sortir. Heinrich éclate de rire*) Qu'est-ce qu'il y a ?

HEINRICH

L'enfer est une foire, imbécile ! (*Gœtz s'arrête et le regarde. Aux autres*). Voici le visionnaire le plus étrange : l'homme qui se croit seul à faire le Mal. Chaque nuit la terre d'Allemagne est éclairée par des torches vivantes ; cette nuit comme toutes les nuits, les villes flambent par douzaines et les capitaines qui les saccagent ne font pas tant d'histoires. Ils tuent, les jours ouvrables et, le dimanche, ils se confessent, modestement. Mais celui-ci se prend pour le Diable en personne parce qu'il accomplit son devoir de soldat. (*A Gœtz*). Si tu es le Diable, bouffon, qui suis-je, moi qui prétendais aimer les misérables et qui te les livre ?

Gœtz le regarde un peu fasciné pendant toute la réplique. A la fin, il se secoue.

GŒTZ

Qu'est-ce que tu réclames ? Le droit d'être damné ? Je te l'accorde. L'Enfer est assez grand pour que je ne t'y rencontre pas.

HEINRICH

Et les autres ?

GŒTZ

Quels autres ?

HEINRICH

Tous les autres. Tous n'ont pas la chance de tuer, mais tous en ont envie.

GŒTZ

Ma méchanceté n'est pas la leur : ils font le Mal par luxure ou par intérêt : moi je fais le Mal pour le Mal.

HEINRICH

Qu'importent les raisons s'il est établi qu'on ne peut faire que le Mal.

GŒTZ

Est-ce établi ?

HEINRICH

Oui, bouffon, c'est établi.

GŒT

Par qui ?

HEINRICH

Par Dieu lui-même. Dieu a voulu que le Bien fût impossible sur terre.

GŒTZ

Impossible ?

HEINRICH

Tout à fait impossible : impossible l'Amour. Impossible la Justice ! Essaie donc d'aimer ton prochain, tu m'en diras des nouvelles.

GŒTZ

Et pourquoi ne l'aimerais-je pas, si c'était mon caprice ?

HEINRICH

Parce qu'il suffit qu'un seul homme en haïsse un autre pour que la haine gagne de proche en proche l'humanité entière.

GŒTZ, *enchaînant ; de la tête, il désigne Nasty*
Celui-ci aimait les pauvres.

HEINRICH

Il leur mentait sciemment, il excitait leurs passions les plus basses, il les a contraints d'assassiner un vieillard. (*Un temps*). Que pouvais-je faire, moi ? Hein, que pouvais-je faire ? J'étais innocent et le crime a sauté sur moi comme un voleur. Où était le bien, bâtard ? Où était-il ? Où était le moindre mal ? (*Un temps*). Tu prends beaucoup de peine pour rien, fanfaron de vice ! Si tu veux mériter l'Enfer, il suffit que tu restes dans ton lit. Le monde est iniquité : si tu l'acceptes, tu es complice, si tu le changes, tu es bourreau. (*Riant*). Ha ! la terre pue jusqu'aux étoiles.

GŒT

Alors, tous damnés ?

HEINRICH

Ah non ! pas tous ! (*Un temps*). J'ai la foi, mon Dieu, j'ai la foi. Je ne commettrai pas le péché de désespoir : je suis infecté jusqu'aux mœlles, mais je sais que tu me sauveras si tu l'as décidé. (*A Gœtz*) Nous sommes tous également coupables, bâtard, nous méritons tous également l'Enfer mais Dieu pardonne quand il lui plaît de pardonner.

GŒTZ

Il ne me pardonnera pas malgré moi.

HEINRICH

Misérable fétu, comment peux-tu lutter contre sa miséricorde ? Comment laisseras-tu son infinie patience ? Il te prendra entre ses doigts s'il lui plaît, pour t'enlever jusqu'à son paradis ; il cassera d'un coup de pouce ta volonté mauvaise, il t'ouvrira les mâchoires, il te gavera de sa bienveillance et tu te sentiras devenir bon malgré toi. Va ! Va brûler Worms, va saccager, va égorger ; tu perds ton temps et ta peine : un de ces jours, tu te retrouveras au purgatoire comme tout le monde.

GŒTZ

Donc tout le monde fait le Mal ?

HEINRICH

Tout le monde.

GŒTZ

Et personne n'a jamais fait le bien ?

HEINRICH

Personne.

GŒTZ

Parfait. (*Il rentre sous la tente*). Moi, je te parie de le faire.

HEINRICH

De faire quoi ?

GŒTZ

Le Bien. Tiens-tu le pari ?

HEINRICH, *haussant les épaules*

Non, bâtard, je ne parie rien du tout.

GŒTZ

Tu as tort ; tu m'apprends que le Bien est impossible, je parie donc que je ferai le Bien : c'est encore la meilleure manière d'être seul. J'étais criminel, je me change : je retourne ma veste et je parie d'être un saint.

HEINRICH

Qui en jugera ?

GŒTZ

Toi, dans un an et un jour. Tu n'as qu'à parier.

HEINRICH

Si tu paries, tu as perdu d'avance, imbécile ! Tu feras le Bien pour gagner un pari.

GŒTZ

Juste ! Eh bien, jouons aux dés. Si je gagne, c'est le Mal qui triomphe. Si je perds. Ah ! si je perds, je ne me doute même pas de ce que je ferai. Eh bien ? Qui joue contre moi ? Nasty !

NASTY

Non.

GŒTZ

Pourquoi pas ?

NASTY

C'est mal.

GŒTZ

Eh bien, oui, c'est mal. Qu'est-ce que tu t'imagines? Voyons, boulanger, je suis encore méchant.

NASTY

Si tu veux faire le Bien, tu n'as qu'à décider de le faire, tout simplement.

GŒTZ

Je veux mettre le Seigneur au pied du mur. Cette fois, c'est oui ou c'est non : s'il me fait gagner, la ville flambe, et ses responsabilités sont bien établies Allons, joue : si Dieu est avec toi, tu ne dois pas avoir peur. Tu n'oses pas, lâche ! Tu préfères être pendu ? Qui osera ?

CATHERINE

Moi !

GŒTZ

Toi, Catherine ? (*Il la regarde*). Pourquoi pas ? (*Il lui donne les dés*). Joue.

CATHERINE, *jouant*

Deux et un. (*Elle frissonne*). Tu auras du mal à perdre.

GŒTZ

Qui vous dit que je souhaite perdre ? (*Il met les dés dans le cornet*). Seigneur, vous êtes coincé. Le moment est venu d'abattre votre jeu.

Il joue.

CATHERINE

Un et un... Tu as perdu !

GŒTZ

Je me conformerai donc à la volonté de Dieu. Adieu, Catherine.

CATHERINE

Embrasse-moi (*Il l'embrasse*). Adieu, Gœtz.

GŒTZ

Prends cette bourse et va où tu veux. (*A Frantz*)

Frantz, va dire au capitaine Ulrich qu'il envoie les soldats se coucher. Toi, Nasty, rentre dans la ville, il est encore temps d'arrêter la meute. Si vous ouvrez les portes dès l'aube, si les prêtres sortent de Worms sains et saufs et viennent se placer sous ma garde, je lèverai le siège à midi. D'accord ?

NASTY

D'accord.

GŒTZ

As-tu retrouvé ta foi, prophète ?

NASTY

Je ne l'avais jamais perdue.

GŒTZ

Veinard !

HEINRICH

Tu leur rends la liberté, tu leur rends la vie et l'espoir. Mais à moi, chien, à moi que tu as contraint de trahir, rendras-tu la pureté ?

GŒTZ

C'est affaire à toi de la retrouver. Après tout, il n'y a pas eu grand mal de fait.

HENRICH

Qu'importe ce qui a été fait ! C'est mon intention qui comptait. Je te suivrai, va, je te suivrai, pas à pas, nuit et jour ; compte sur moi pour peser tes actes. Et tu peux être tranquille, dans un an et un jour, où que tu ailles, je serai au rendez-vous.

GŒTZ

Voici l'aube. Comme elle est froide. L'aube et le Bien sont entrés sous ma tente et nous ne sommes pas plus gais : celle-ci sanglotte, celui-ci me hait : on se croirait au lendemain d'une catastrophe. Peut-être que le Bien est désespérant... Peu m'importe, d'ailleurs, je n'ai pas à le juger, mais à le faire. Adieu.

Il sort. Catherine éclate de rire.

CATHERINE, *riant aux larmes*

Il a triché ! Je l'ai vu, je l'ai vu, il a triché pour perdre !

(*Le diable et le bon Dieu*, III, 6, Gallimard éditeur).

[RIEN QUE LA TERRE]

Gœtz essaie donc maintenant de faire le bien. Il ne répond pas aux pires insultes (en retenant pourtant une abominable envie de rire) ; il donne ses terres aux paysans, organise une communauté chrétienne où tous sont égaux, embrasse un lépreux, s'inflige à lui-même les blessures du Christ pour que Catherine meure en paix ; il refuse toute violence, devient ermite, jeûne jusqu'à l'épuisement total. Peine perdue : tout ce qu'il fait tourne au mal. Les paysans des autres seigneuries, pour avoir aussi leurs terres, se révoltent alors qu'ils ne sont pas prêts et ils se font massacrer ; Catherine meurt sans croire qu'elle est sauvée ; le peuple et le lépreux préfèrent cent fois qu'on leur vende des indulgences à une conversion qui exigerait beaucoup d'eux-mêmes. Les misères matérielles et morales, en partie à cause de lui, sont pires que jamais... Un an après le faux pari de Worms, Heinrich, comme il l'avait promis, revient auprès de Gœtz pour peser ses actes :

GŒTZ

Comme il semblait proche, le Bien, quand j'étais malfaisant. Il n'y avait qu'à tendre les bras. Je les ai tendus et il s'est changé en courant d'air. C'est donc un mirage ? Heinrich, Heinrich, le Bien est-il possible ?

HEINRICH

Joyeux anniversaire. Il y a un et un jour, tu m'as posé la même question. Et j'ai répondu : non. C'était la nuit, tu riais en me regardant, tu disais : « Tu es fait comme un rat ». Et puis, tu t'es tiré d'affaires avec un coup de dés. Eh bien, vois :

c'est la nuit, une nuit toute pareille et qui est-ce qui est dans la ratière ?

GŒTZ, *bouffonnant*

C'est moi.

HEINRICH

T'en tireras-tu ?

GŒTZ, *cessant de bouffonner*

Non. Je ne m'en tirerai pas. (*Il marche*) Seigneur, si vous nous refusez les moyens de bien faire, pourquoi nous en avez-vous donné l'âpre désir ? Si vous n'avez pas permis que je devienne bon, d'où vient que vous m'ayez ôté l'envie d'être méchant ? (*Il marche*) Curieux tout de même qu'il n'y ait pas d'issue.

HEINRICH

Pourquoi fais-tu semblant de lui parler ? Tu sais bien qu'il ne répondra pas.

GŒTZ

Et pourquoi ce silence ? Lui qui s'est fait voir à l'ânesse du prophète, pourquoi refuse-t-il de se montrer à moi ?

HEINRICH

Parce que tu ne comptes pas. Torture les faibles ou martyrise-toi, baise les lèvres d'une courtisane ou celles d'un lépreux, meurs de privations ou de voluptés : Dieu s'en fout.

GŒTZ

Qui compte alors ?

HEINRICH

Personne. L'homme est néant. Ne fais pas l'étonné : tu l'as toujours su ; tu le savais quand tu as lancé les dés. Sinon pourquoi aurais-tu triché ? (*Gœtz veut parler*) Tu as triché, Catherine t'a vu : tu as forcé ta voix pour couvrir le silence de Dieu. Les ordres que tu prétends recevoir, c'est toi qui te les envoies.

GŒTZ, *réfléchissant*

Moi, oui.

HEINRICH, *étonné*

Eh bien, oui. Toi-même.

GŒTZ, *même jeu*

Moi seul.

HEINRICH

Oui, te dis-je, oui.

GŒTZ, *relevant la tête*

Moi seul, curé, tu as raison. Moi seul. Je suppliais, je quémandais un signe, j'envoyais au Ciel des messages : pas de réponse. Le ciel ignore jusqu'à mon nom. Je me demandais à chaque minute ce que je pouvais *être* aux yeux de Dieu. A présent je connais la réponse : rien. Dieu ne me voit pas, Dieu ne m'entend pas, Dieu ne me connaît pas. Tu vois ce vide au-dessus de nos têtes ? C'est Dieu. Tu vois cette brèche dans la porte ? C'est Dieu. Tu vois ce trou dans la terre ? C'est Dieu encore. Le silence, c'est Dieu. L'absence, c'est Dieu, c'est la solitude des hommes. Il n'y avait que moi : j'ai décidé seul du Mal ; seul, j'ai inventé le Bien. C'est moi qui ai triché, moi qui ai fait des miracles, c'est moi qui m'accuse aujourd'hui, moi seul qui peux m'absoudre ; moi l'homme. Si Dieu existe, l'homme est néant ; si l'homme existe... Où cours-tu ?

HEINRICH

Je m'en vais ; je n'ai plus rien à faire avec toi.

GŒTZ

Attends, curé : je vais te faire rire.

HEINRICH

Tais-toi !

GŒTZ

Mais tu ne sais pas encore ce que je vais te dire.

Il le regarde et brusquement : Tu le sais !

HEINRICH, *criant*

Ce n'est pas vrai ! Je ne sais rien, je ne veux rien savoir.

GŒTZ

Heinrich, je vais te faire connaître une espièglerie considérable : Dieu n'existe pas. (*Heinrich se jette sur lui et le frappe. Gœtz sous les coups, rit et crie*) Il n'existe pas. Joie, pleurs de joie ! Alleluia. Fou ! Ne frappe pas : je nous délivre. Plus de Ciel, plus d'Enfer : rien que la Terre.

HEINRICH

Ah ! Qu'il me damne cent fois, mille fois, pourvu qu'il existe. Gœtz, les hommes nous ont appelés traîtres et bâtard ; et ils nous ont condamnés. Si Dieu n'existe pas, plus moyen d'échapper aux hommes. Mon Dieu, cet homme a blasphémé, je crois en vous, je crois ! Notre père qui êtes aux Cieux, j'aime mieux être jugé par un être infini que par mes égaux.

GŒTZ

A qui parles-tu ? Tu viens de dire qu'il était sourd. (*Heinrich le regarde en silence*) Plus moyen d'échapper aux hommes. Adieu les monstres, adieu les saints. Adieu l'orgueil. Il n'y a que des hommes.

HEINRICH

Des hommes qui ne veulent pas de toi, bâtard.

GŒTZ

Bah ! Je m'arrangerai. (*Un temps*) Heinrich, Je n'ai pas perdu mon procès : il n'a pas eu lieu faute de juge. (*Un temps*) Je recommence tout.

HEINRICH, *sursautant*

Tu recommences quoi ?

GŒTZ

La vie.

HEINRICH

Ce serait trop commode. (*Il se jette sur lui*) Tu ne recommenceras pas. Fini : c'est aujourd'hui qu'il faut tirer le trait.

GŒTZ

Laisse-moi, Heinrich, laisse-moi. Tout est changé, je veux vivre.

Il se débat.

HEINRICH, *l'étranglant*

Où est ta force, Gœtz, où est ta force ? Quelle chance que tu veuilles vivre : tu crèveras dans le désespoir ! (*Gœtz affaibli, tente vainement de le repousser*). Que toute ta part d'Enfer tienne en cette dernière seconde.

GŒTZ

Lâche-moi. (*Il se débat*). Parbleu, si l'un de nous doit mourir, autant que ce soit toi !

Il le frappe avec un couteau.

HEINRICH

Ha ! (*Un temps*). Je ne veux pas cesser de haïr, je ne veux pas cesser de souffrir. (*Il tombe*) Il n'y aura rien, rien, rien. Et toi, demain, tu verras le jour.

Il meurt.

GŒTZ

Tu es mort et le monde reste aussi plein : tu ne manqueras à personne. (*Il prend les fleurs et les jette sur le cadavre*) La comédie du Bien s'est terminée par un assassinat ; tant mieux, je ne pourrai plus revenir en arrière. (*Il appelle*). Hilda ! Hilda !

Dieu est mort.

HILDA

Mort ou vivant que m'importe ! Il y a longtemps que je me souciais plus de lui. Où est Heinrich ?

GŒTZ

Il s'en est allé.

HILDA

As-tu gagné ton procès ?

GŒTZ

Il n'y a pas eu de procès : je te dis que Dieu est mort. (*Il la prend dans ses bras*) Nous n'avons plus de témoin, je suis seul à voir tes cheveux et ton front. Comme tu es *vraie* depuis qu'il n'est plus. Regarde-moi, ne cesse pas un instant de me regarder : le monde est devenu aveugle ; si tu détournais la tête j'aurais peur de m'anéantir. (*Il rit.*) Enfin seuls !

Lumière. Des torches se rapprochent.

HILDA

Les voilà. Viens.

GŒTZ

Je veux les attendre.

HILDA

Ils vont te tuer.

GŒTZ

Bah ! Qui sait ? (*Un temps*). Restons : j'ai besoin de voir des hommes.

Les torches se rapprochent.

NASTY, *sans surprise*

Vous voilà donc !

UN PAYSAN, *désignant Gœtz*

Nour le cherchions pour l'égorger un petit peu. Mais ce n'est plus le même homme : il reconnaît ses fautes et dit qu'il veut se battre dans nos rangs. Alors voilà : nous te l'amenons.

NASTY

Laissez-nous. (*Ils sortent*) Tu veux te battre dans nos rangs ?

GŒTZ

Oui.

NASTY

Pourquoi ?

GŒTZ

J'ai besoin de vous. (*Un temps*) Je veux être un homme parmi les hommes.

NASTY

Rien que ça ?

GŒTZ

Je sais : c'est le plus difficile. C'est pour cela que je dois commencer par le commencement.

NASTY

Quel est le commencement ?

GŒTZ

Le crime. Les hommes d'aujourd'hui naissent criminels, il faut que je revendique ma part de leurs crimes si je veux ma part de leur amour et de leurs vertus. Je voulais l'amour pur : niaiserie ; s'aimer, c'est haïr le même ennemi : j'épouserai donc votre haine. Je voulais le Bien : sottise ; sur cette terre et dans ce temps, le Bien et le Mauvais sont inséparables : j'accepte d'être mauvais pour devenir bon.

NASTY, *le regardant*

Tu as changé.

GŒTZ

Drôlement ! J'ai perdu quelqu'un qui m'était cher.

NASTY

Qui ?

GŒTZ

Quelqu'un que tu ne connais pas. (*Un temps*) Je demande à servir sous tes ordres comme simple soldat.

NASTY

Je refuse.

GŒTZ

Nasty !

NASTY

Que veux-tu que je fasse *d'un* soldat quand j'en perds cinquante par jour.

GŒTZ

Quand je suis venu à vous, fier comme un riche, vous m'avez repoussé et c'était justice car je prétendais que vous aviez besoin de moi. Mais je vous dis aujourd'hui que j'ai besoin de vous et si vous me repoussez vous serez injustes car il est injuste de chasser les mendiants.

NASTY

Je ne te repousse pas. (*Un temps*) Depuis un an et un jour, ta place t'attend ; prends-la. Tu commanderas l'armée.

GŒTZ

Non ! (*Un temps*) Je ne suis pas né pour commander. Je veux obéir.

NASTY

Parfait ! Eh bien, je te donne l'ordre de te mettre à notre tête. Obéis.

GŒTZ

Nasty, je suis résigné à tuer, je me ferai tuer s'il le faut ; mais je n'enverrai personne à la mort : à présent, je sais ce que c'est que de mourir. Il n'y a rien, Nasty, rien : nous n'avons que notre vie.

HILDA, *lui imposant silence*

Gœtz ! Tais-toi !

GŒTZ *à Hilda*

Oui. (*A Nasty*) Les chefs sont seuls : moi, je veux des hommes partout : autour de moi, au-dessus de moi et qu'ils me cachent le ciel. Nasty, permets-moi d'être n'importe qui.

NASTY

Mais tu es n'importe qui. Crois-tu qu'un chef vaille plus qu'un autre ? Si tu ne veux pas commander, va-t'en.

HILDA, *à Gœtz*

Accepte.

GŒTZ

Non. Trente-six ans de solitude, ça me suffit.

HILDA

Je serai avec toi.

GŒTZ

Toi, c'est moi. Nous serons seuls ensemble.

HILDA, *à mi-voix*

Si tu es soldat parmi les soldats, leur diras-tu que Dieu est mort ?

GŒTZ

Non.

HILDA

Tu vois bien.

GŒTZ

Qu'est-ce que je vois ?

HILDA

Tu ne seras jamais pareil à eux. Ni meilleur ni pire : autre. Et si vous tombez d'accord, ce sera par malentendu.

GŒTZ

J'ai tué Dieu parce qu'il me séparait des hommes et voici que sa mort m'isole encore plus sûrement. Je ne souffrirai pas que ce grand cadavre empoisonne mes amitiés humaines : je lâcherai le paquet, s'il le faut.

HILDA

As-tu le droit de leur ôter leur courage ?

GŒTZ

Je le ferai peu à peu. Au bout d'un an de patience...

HILDA, *riant*

Dans un an, voyons, nous serons tous morts.

GŒTZ

Si Dieu n'est pas, pourquoi suis-je seul, moi qui voudrais vivre avec tous ?

Entrent des paysans poussant la sorcière devant eux.

LA SORCIÈRE

Je vous jure que cela ne fait pas de mal. Si cette main vous frotte, vous serez invulnérables[1].

PAYSANS

Nous te croirons si Nasty se laisse frotter.

La sorcière s'approche de Nasty.

NASTY

Va-t'en au diable !

LA SORCIÈRE, *à mi-voix*

De la part de Karl : laisse-moi faire ou tout est foutu.

---

1. Les superstitions se répandent très vite pendant les guerres, chez tous les peuples. Ici la sorcière fait croire à ceux qu'elle frotte avec une main de bois spéciale qu'ils peuvent donner des coups mais non en recevoir.

NASTY, *à haute voix*

C'est bon. Fais vite.

Elle le frotte. Les paysans applaudissent.

UN PAYSAN

Frotte aussi le moine.

GŒTZ

Mordieu !

HILDA, *doucement*

Gœtz !

GŒTZ

Frotte la belle enfant, frotte bien fort.

Elle frotte.

NASTY, *violemment*

Allez-vous-en !

Ils s'en vont.

GŒTZ

Nasty, tu en es venu là ?

NASTY

Oui.

GŒTZ

Tu les méprises donc ?

NASTY

Je ne méprise que moi. (*Un temps*) Connais-tu plus singulière bouffonnerie : moi, qui hais le mensonge, je mens à mes frères pour leur donner le courage de se faire tuer dans une guerre que je hais.

GŒTZ

Parbleu, Hilda, cet homme est aussi seul que moi.

NASTY

Bien plus. Toi, tu l'as toujours été. Moi, j'étais cent mille et je ne suis plus que moi. Gœtz, je ne connaissais ni la solitude ni la défaite ni l'angoisse et je suis sans recours contre elles.

Entre un soldat.

LE SOLDAT

Les chefs veulent te parler.

NASTY

Qu'ils entrent. (*A Gœtz*) Il vont me dire que la confiance est morte et qu'ils n'ont plus d'autorité.

GŒTZ, *d'une voix forte*

Non. (*Nasty le regarde*) La souffrance, l'angoisse, les remords, bon pour moi. Mais toi, si tu souffres, la dernière chandelle s'éteint : c'est la nuit. Je prends le commandement de l'armée.

Entrent les chefs et Karl.

UN CHEF

Nasty, il faut savoir finir une guerre. Mes hommes...

NASTY

Tu parleras quand je te donnerai la parole. (*Un temps*) Je vous annonce une nouvelle qui vaut une victoire : nous avons un général et c'est le plus fameux capitaine de l'Allemagne.

UN CHEF

Ce moine ?

GŒTZ

Tout sauf moine !

Il rejette sa robe et paraît en soldat.

LES CHEFS

Gœtz !

KARL

Gœtz ! Parbleu...

UN CHEF

Gœtz ! Ça change tout !

UN CHEF

Qu'est-ce que ça change, hein ? Qu'est-ce que ça change ? C'est un traître. Vous verrez s'il ne vous fait pas tomber dans un guet-apens mémorable.

GŒTZ

Approche ! Nasty m'a nommé chef et capitaine. M'obéiras-tu ?

UN CHEF

Je crèverais plutôt.

GŒTZ

Crève donc, mon frère ! (*Il le poignarde*). Quant à vous, écoutez ! je prends le commandement à contre-cœur ; mais je ne le lâcherai pas. Croyez-moi, s'il y a une chance de gagner cette guerre, je la gagnerai. Proclamez sur l'heure qu'on pendra tout soldat qui tentera de déserter. Je veux pour ce soir un état complet des troupes, des armes et des vivres ; vous répondez de tout sur votre tête. Nous serons sûrs de la victoire quand vos hommes auront plus peur de moi que de l'ennemi. (*Ils veulent parler*) Non. Pas un mot, allez. Demain vous saurez mes projets. (*Ils sortent. Gœtz pousse du pied le cadavre*) Voilà le règne de l'homme qui commence. Beau début. Allons, Nasty, je serai bourreau et boucher.

Il a une brève défaillance.

NASTY, *lui mettant la main sur l'épaule*
Gœtz.

GŒTZ

N'aie pas peur, je ne flancherai pas. Je leur ferai horreur puisque je n'ai pas d'autre manière de les aimer, je leur donnerai des ordres, puisque je n'ai pas d'autre manière d'obéir, je resterai seul avec ce ciel vide au-dessus de ma tête, puisque je n'ai pas d'autre manière d'être avec tous. Il y a cette guerre à faire et je la ferai.

(*Le diable et le bon Dieu*, fin, Gallimard éditeur).

Questions sur la fin du troisième tableau (pp. 203 à 212).

1. A qui s'adresse l'injure : « sale hypocrite » à la 5e ligne du texte ?

2. Le personnage de Gœtz vous paraît-il vraisemblable psychologiquement ? — comme héros du XVIe siècle ? ou comme représentant de certaines tendances contemporaines ? Ou bien vous paraît-il incarner seulement quelques-unes des questions ou positions philosophiques de Sartre ? Donnez vos raisons.

3. Quel mot de Heinrich, dans la scène, ébranle soudain

. . .

Gœtz et va le faire changer de dessein ? Quelle indication cela nous donne-t-il sur son caractère ?

4. Croyez-vous à la transformation de Gœtz ? Comment le comédien doit-il jouer la scène, et la deuxième partie de la pièce, pour que le spectateur ne pense pas à un nouveau cabotinage seulement un peu plus complexe ?

5. Gœtz *croit-il* en Dieu (dans cette scène) ? *A-t-il foi* en Lui ? Marquez la différence entre son attitude et celle de l'autre bâtard Heinrich. Pourquoi exactement parie-t-il ? Pourquoi triche-t-il ? La deuxième partie de la pièce sera-t-elle modifiée par le fait qu'il ait triché ?

Questions sur la fin de la pièce (pp. 212 à 223).

1. « Si Dieu existe, l'homme est néant ; si l'homme existe, ... » Pourquoi la phrase est-elle interrompue ? Pourquoi Gœtz dit-il ensuite à Henrich qu'il va lui faire connaître « une espièglerie considérable » ? Bouffonne-t-il encore ? Quelles phrases et quelles attitudes doivent montrer que Gœtz est maintenant assez sûr de sa nouvelle conviction ?

2. Pourquoi Heinrich, qui a compris Gœtz, et grâce auquel Gœtz s'est compris lui-même, refuse-t-il de le suivre dans un athéisme dont il est si proche ? Pourquoi devient-il subitement furieux contre Gœtz ? Qu'est-ce qui lui est impossible, à lui ? Pensez-vous que ce sera possible pour Gœtz ?

3. Gœtz tue Heinrich ; dans la scène suivante il poignarde un chef hostile avec décision ; il s'affirme résolu à devenir « bourreau et boucher ». De nombreux critiques en ont conclu que Gœtz retournait au mal. — ce qui est certainement un contresens complet sur le personnage tel que Sartre a voulu nous le montrer. Pourquoi cependant cette erreur d'interprétation est-elle possible ? Essayez d'expliquer dans toute sa complexité la résolution de Gœtz et celle de l'auteur.

4. Essayez d'expliquer de même l'évolution et l'attitude de Nasty, « le militant », qui avait été dans toute la pièce opposé à « l'aventurier », Gœtz. Sur quelle « morale » les deux personnages se retrouvent-ils désormais ? Lequel l'emporte à nos yeux dans cette dernière scène ? Pourquoi ?

Lectures conseillées

1. La préface de Jean-Paul Sartre à *Portrait de l'aventurier* de Roger Stéphane[1], préface écrite en 1950, un an avant *Le*

...

1. Éditions du Sagittaire, puis Grasset. On trouvera aussi l'essentiel de la préface de Sartre dans *Les critiques de notre temps et André Malraux,* chez Garnier, 1970.

diable et le bon Dieu. Sartre y trace les portraits antithétiques du militant et de l'aventurier, choisit finalement l'aventurier, mais recherche visiblement cette synthèse entre l'un et l'autre qu'il essaie de réaliser ici dans la dernière scène de la pièce.

2. Difficile à lire mais intéressante à commenter et à discuter par les élèves de terminale, la conclusion de la « Morale » de Sartre dans *Saint Genêt* :

« Ou la morale est une faribole, ou c'est une totalité concrète qui réalise la synthèse du Bien et du Mal. Car le Bien sans le Mal c'est l'Etre parménidien, c'est-à-dire la Mort ; et le Mal sans le Bien, c'est le Non-Etre pur. A cette synthèse objective correspond comme synthèse subjective la récupération de la liberté négative et de son intégration dans la liberté absolue ou liberté proprement dite. On comprendra, j'espère, qu'il ne s'agit nullement d'un « au-delà » nietzschéen du Bien et du Mal, mais plutôt d'une « Aufhebung » hégélienne. La séparation abstraite de ces deux concepts exprime simplement l'aliénation de l'homme. Reste que cette synthèse, dans la situation historique, n'est pas réalisable. Ainsi toute morale qui ne se donne pas explicitement comme *impossible aujourd'hui* contribue à la mystification et à l'aliénation des hommes. Le « problème » moral naît de ce que la morale est *pour nous* tout en même temps inévitable et impossible. L'action doit se donner ses normes éthiques dans ce climat d'indépassable impossibilité. C'est dans cette perspective, par exemple, qu'il faudrait envisager le problème de la violence ou celui du rapport de la fin et des moyens. Pour une conscience qui vivrait ce déchirement et qui se trouverait en même temps contrainte de vouloir et de décider, toutes les belles révoltes, tous les cris de refus, toutes les indignations vertueuses paraîtraient une rhétorique périmée. »

Georges Bataille

LA LITTÉRATURE ET LE MAL

Georges Bataille a réuni sous le titre *La littérature et le mal* les différents essais qu'il a consacrés à Emily Brontë, Baudelaire, Michelet (*La sorcière*), Blake, Sade, Proust, Kafka, Genet. Il y expose, mais en ne prenant ses exemples, on le voit, que dans un domaine particulier des lettres, la thèse suivante :

Les hommes diffèrent des animaux en ce qu'ils observent des interdits, mais les interdits sont ambigus. Ils les observent, mais il leur faut aussi les violer. La transgression des interdits n'est pas leur ignorance ; elle demande un courage résolu. Le courage nécessaire à la trangression est pour l'homme un accomplissement. C'est en particulier l'accomplissement de la littérature, dont le mouvement privilégié est un défi. La littérature authentique est prométhéenne... La communication majeure entre les hommes, but de la littérature, ne peut se faire, selon Bataille, *qu'à une condition majeure : recourir au Mal, c'est-à-dire à la violation de l'interdit.*

Le style de Bataille est souvent très lourd, nous avons choisi ici les passages les plus clairs.

Excédant l'intention limitée que j'ai de poser, *raisonnablement*, le problème du Mal, je dirai de l'*être* que nous sommes qu'il est d'abord être *fini* (individu mortel). Ses limites, sans doute, sont nécessaires à l'être, mais il ne peut toutefois les endurer. C'est en transgressant ces limites nécessaires à le conserver qu'il affirme son essence [...] La vie *humaine* implique ce violent mouvement (nous pourrions autrement nous passer des arts) [...]

L'humanité poursuit deux fins, dont l'une, négative, est de conserver la vie (d'éviter la mort), l'autre, positive, d'en accroître l'intensité. Ces deux fins ne sont pas contradictoires. Mais l'intensité n'est jamais accrue sans danger ; l'intensité voulue par le grand nombre (ou le corps social) est subordonnée au souci de maintenir la vie et ses œuvres,

qui possède un primat indiscuté. Mais, lorsqu'elle
est cherchée par les minorités, ou les individus, elle
peut l'être sans espoir, au-delà du désir de durer.
L'intensité varie suivant la liberté plus ou moins
grande. Cette opposition de l'intensité à la durée
vaut dans l'ensemble, et réserve bien des accords
(l'ascétisme religieux ; du côté de la magie, la pour-
suite des fins individuelles) [1]. La considération du
Bien et du Mal est à revoir à partir de ces données.

L'intensité peut être définie comme *la valeur*
(c'est la seule valeur positive), la durée, comme le
Bien (c'est la fin générale proposée à la vertu).
La notion d'intensité n'est pas réductible à celle
de plaisir, car, nous l'avons vu, la recherche de l'intensité veut que nous allions d'abord au-devant
du malaise, aux limites de la défaillance. Ce que
j'appelle *valeur* diffère donc à la fois du *Bien* et du
plaisir. La valeur tantôt coïncide avec le *Bien* et
tantôt ne coïncide pas. Elle coïncide parfois avec le
Mal. La *valeur* se situe *par-delà le Bien et le Mal*,
mais sous deux formes opposées, l'une liée au principe du *Bien*, l'autre à celui du *Mal*. Le désir du *Bien*
limite le mouvement qui nous porte à chercher la
valeur. Quand la liberté vers le Mal, au contraire,
ouvre un accès aux formes excessives de la *valeur*.
Toutefois, l'on ne pourrait conclure de ces données
que la *valeur* authentique se situe du côté du *Mal*.
Le principe même de la *valeur* veut que nous allions
« le plus loin possible ». A cet égard, l'association
au principe du Bien mesure le « plus loin » du corps
social (le point extrême, au-delà duquel la société
constituée ne peut s'avancer) ; l'association au
principe du *Mal*, le « plus loin » que *temporairement*
atteignent les individus — ou les minorités ; « plus
loin », personne ne peut aller.

(*La littérature et le mal*, Gallimard, éditeur).

---

1. Ces fins, il est vrai, visent d'ordinaire à l'excès, non au Bien pur
et simple, à la conservation. Elles restent par là favorables à l'intensité
(note de Georges Bataille).

André Malraux

« L'IRRÉDUCTIBLE ACCUSATION »

Perken a voulu dominer la mort et ce qui est pire que la mort : l'absurdité de la vie, la déchéance ; il a voulu échapper à l'existence de poussière et de soumission de la plupart des hommes, conquérir son destin au lieu de le subir.

« Ce qui pèse sur moi c'est, — comment dire ? ma condition d'homme : que je vieillisse, que cette chose atroce : le temps, se développe en moi comme un cancer, irrévocablement... Le temps, voilà.

« Toutes ces saletés d'insectes vont vers notre photophore, soumis à la lumière. Ces termites vivent dans leur termitière, soumis à leur termitière. Je ne veux pas être soumis. »

Malraux nous a montré Perken, dans une scène grandiose, obtenant de son corps et de son imagination même la soumission totale à ce qu'il vient de décider ; affrontant en toute conscience la torture, la cécité, la castration, l'avilissement [1], ... triomphant de tout ce qui s'impose à lui dans une libération farouche de ce qu'il veut être... Mais il est maintenant blessé à mort, la gangrène est dans sa chair. Il est seul, malgré la présence et l'attention de son ami Claude Vannec, impuissant.

... A côté de lui, Claude qui allait vivre, qui croyait à la vie comme d'autres croient que les bourreaux qui vous torturent sont des hommes : haïssable. Seul. Seul avec la fièvre qui le parcourait de la tête au genou, et cette chose fidèle posée sur sa cuisse : sa main.

---

1. Les hommes des tribus Stiengs sur le territoire desquels il a pénétré sont prêts à lui infliger les pires tortures, la cécité, la castration, l'esclavage, s'il ne parvient pas à leur imposer sa volonté.

Il l'avait vue plusieurs fois ainsi, depuis quelques jours : libre, séparée de lui. Là, calme sur sa cuisse, elle le regardait, elle l'accompagnait dans cette région de solitude où il plongeait avec une sensation d'eau chaude sur toute la peau. Il revint à la surface une seconde, se souvint que les mains se crispent quand l'agonie commence. Il en était sûr. Dans cette fuite vers un monde aussi élémentaire que celui de la forêt, une conscience atroce demeurait : cette main était là, blanche, fascinante, avec ses doigts plus hauts que la paume lourde, ses ongles accrochés aux fils de la culotte comme les araignées suspendues à leurs toiles par le bout de leurs pattes sur les feuilles chaudes ; devant lui dans le monde informe où il se débattait, ainsi que les autres dans les profondeurs gluantes. Non pas énorme : simple, naturelle, mais vivante comme un œil. La mort, c'était elle.

Claude le regardait : le hurlement des chiens sauvages s'accordait à ce visage ravagé, pas rasé, aux paupières abaissées, dont le sommeil était si absent qu'il ne pouvait exprimer que l'approche de la mort. Le seul homme qui eût aimé en lui ce qu'il était, ce qu'il voulait être, et non le souvenir d'un enfant... Il n'osait pas le toucher. Mais la tête heurta le bois de la charrette ; Claude la souleva, la cala avec le casque, dégageant le front. Perken ouvrit les yeux : le ciel l'envahit, écrasant et pourtant plein de joie. Quelques branches sans insectes passaient entre le ciel et lui, frémissantes comme l'air, comme la dernière Laotienne qu'il eût possédée. Il ne savait plus rien des hommes, plus rien même de la terre qui dévalait sous lui avec ses arbres et ses bêtes : il ne connaissait plus que cette immensité blanche à force de lumière, cette joie tragique dans laquelle il se perdait, et qu'emplissait peu à peu le sourd battement de son cœur.

Il n'entendait plus que lui, comme si lui seul eût pu s'accorder à la fournaise qui arrachait son âme à la forêt, comme s'il eût seul exprimé la réponse obsédante de sa blessure à ce ciel sacré. « Il me

semble que je me jouerai moi-même sur l'heure de
ma mort... » La vie était là, dans l'éblouissement où
se perdait la terre ; *l'autre*, dans le martèlement
lancinant de ses veines. Mais elles ne luttaient pas :
ce cœur cesserait de battre, se perdrait lui aussi dans
l'appel implacable de la lumière... Il n'avait plus
de main, plus de corps sauf sa douleur ; que signifiait
le mot : déchéance ? Ses yeux brûlaient sous ses
paupières comme des lames. Un moustique se posa
sur l'une d'elles : il ne pouvait plus bouger ; Claude
cala sa tête avec la toile de tente, ramena son casque,
et l'ombre le rejeta en lui-même.

Il se revit, tombé ivre dans une rivière, chantant à
pleine gorge au-dessus du clapotement de l'eau.
Maintenant aussi, la mort était autour de lui jusqu'à
l'horizon comme l'air tremblant. Rien ne donnerait
jamais un sens à sa vie, pas même cette exaltation
qui le jetait en proie au soleil. Il y avait des hommes
sur la terre, et ils croyaient à leurs passions, à leurs
douleurs, à leur existence : insectes sous les feuilles,
multitudes sous la voûte de la mort. Il en ressentait
une joie profonde qui résonnait dans sa poitrine et
dans sa jambe à chacun des battements de son sang
aux poignets, aux tempes, au cœur : elle martelait
la folie universelle perdue dans le soleil. Et pourtant
aucun homme n'était mort, jamais, ils avaient passé
comme les nuages qui tout à l'heure se résorbaient
dans le ciel, comme la forêt, comme les temples ;
lui seul allait mourir, être arraché.

Sa main reprit vie. Elle était immobile, mais il y
sentait l'écoulement du sang dont il entendait le
son fluide qui se confondait avec celui de la rivière.
Ses souvenirs, eux aussi, étaient là à l'affût, retenus
par la demi-crispation de ces doigts menaçants.
Comme le mouvement des doigts, l'envahissement des
souvenirs annonçait la fin. Ils tomberaient sur lui
à l'agonie, épais comme ces fumées qui venaient avec
le son lointain des tams-tams et les aboiements des
chiens. Il serra les dents, ivre de fuir son corps, de ne
pas abandonner ce ciel incandescent qui le prenait

comme une bête : une douleur épouvantable, une douleur de membre arraché s'abattit sur lui du genou à la tête. Une galerie l'attendait, prête à s'effondrer, profondément enfouie sous la terre... Il se mordit si profondément que le sang commença à couler.

Claude vit le sang sourdre entre les dents ; mais la souffrance protégeait son ami contre la mort : tant qu'il souffrait, il vivait. Soudain, son imagination le jeta à la place de Perken ; jamais il n'avait été si attaché à sa vie qu'il n'aimait pas. Le sang coulait en rigoles sur le menton comme celui de la balle, naguère, sur le gaur, et il n'y avait rien à faire qu'à regarder ces dents rouges qui mordaient, et attendre.

« Si je me souviens, pensait Perken, c'est que je vais mourir... » Toute sa vie était autour de lui terrible, patiente, comme l'avaient été les Stiengs autour de la case... « Peut-être ne se souvient-on pas... » Il guettait son passé autant que sa main ; pourtant, malgré sa volonté et sa douleur, il se revoyait jetant son Colt et marchant contre les Stiengs sous la lumière diagonale du soir. Mais cela ne pouvait annoncer sa mort : il s'agissait d'un autre homme, d'une vie antérieure. Comment vaincrait-il, en arrivant chez lui, ces mines qui martelaient sa fièvre ? La souffrance revenant, il sut qu'il n'arriverait jamais chez lui, comme s'il l'eût appris du goût salé de son sang : il déchirait de douleur la peau de son menton, les dents brossées par la barbe dure. La souffrance l'exaltait encore ; mais qu'elle devînt plus intense, et elle le transformerait en fou, en femme en travail qui hurle pour que s'écoule le temps ; — il naissait encore des hommes par le monde... Ce n'était pas sa jeunesse qui revenait en lui, ainsi qu'il l'attendait, mais des êtres disparus, comme si la mort eût appelé les morts... « Qu'on ne m'enterre pas vivant ! » Mais la main était là avec les souvenirs derrière elle, comme les yeux des sauvages l'autre nuit dans l'obscurité : on ne l'enterrerait pas vivant.

« Le visage a imperceptiblement cessé d'être humain », pensa Claude. Ses épaules se contractèrent ;

l'angoisse semblait inaltérable comme le ciel au-dessus de la lamentation funèbre des chiens qui se perdait maintenant dans le silence éblouissant : face à face avec la vanité d'être homme, malade de silence et de l'irréductible accusation du monde qu'est un mourant qu'on aime... « Combien d'êtres, à cette heure, veillent de semblables corps ? » Presque tous ces corps, perdus dans la nuit d'Europe ou le jour d'Asie, écrasés eux aussi par la vanité de leur vie, pleins de haine pour ceux qui au matin se réveilleraient, se consolaient avec des dieux. Ah ! qu'il en existât, pour pouvoir, au prix des peines éternelles, hurler, comme ces chiens, qu'aucune pensée divine, qu'aucune récompense future, que rien ne pouvait justifier la fin d'une existence humaine, pour échapper à la vanité de le hurler au calme absolu du jour, à ces yeux fermés, à ces dents ensanglantées qui continuaient à déchiqueter la peau !... Echapper à cette tête ravagée, à cette défaite monstrueuse ! Les lèvres s'entrouvaient.

« Il n'y a pas... de mort... Il y a seulement... *moi*...

Un doigt se crispa sur la cuisse.

... moi... qui vais mourir... »

Claude se souvint, haineusement, de la phrase de son enfance : « Seigneur, assistez-nous dans notre agonie... » Exprimer par les mains et les yeux, sinon par les paroles, cette fraternité désespérée qui le jetait hors de lui-même ! Il l'étreignit aux épaules.

Perken regardait ce témoin, étranger comme un être d'un autre monde.

(*La voie royale*, fin, Grasset éditeur).

« LE DIALOGUE DE L'ÊTRE HUMAIN
ET DU SUPPLICE »

« Le dialogue de l'être humain et du supplice,
écrit Malraux, est plus profond que celui de l'homme
et de la mort ». Toute la fin du premier tome des
Antimémoires est consacrée au mal et à la résistance
au mal, — à l'évocation des cruautés les plus sinistres
que les hommes aient été capables d'infliger aux hommes, et à la victoire, sur elles, de la dignité, de la vie.

... Sur la place du Panthéon, la vie a repris son
cours de passants, sans combats et sans funérailles.
« Bafoué, sauvagement frappé, les organes éclatés... [1] »
Pendant ces funérailles qui n'eussent assurément
pas été les mêmes si Jean Moulin n'était pas mort
martyr mais ministre ou maréchal, passait lentement
sur le Panthéon l'ombre qui domine celle de la
Mort, le Mal éternel que les religions ont affronté
tour à tour, et qu'affrontait ce cercueil d'enfant[2]
avec son invisible garde de spectres tombés dans la
nuit baltique[3], avec ces survivants qui ne s'étaient
reconnus qu'avant de se voir vraiment, et qui ne se
reverraient peut-être jamais.

Je me souviens des lourdes paupières de Bernanos,
le jour où je lui dis : « Avec les camps, Satan a
reparu visiblement sur le monde... »

[...] Ce qui n'avait pas existé, c'est cette organisation de l'avilissement. L'enfer n'est pas l'horreur ;
l'enfer c'est d'être avili jusqu'à la mort, soit que la
mort vienne ou qu'elle passe. L'affreuse abjection
de la victime, la mystérieuse abjection du bourreau.
Satan, c'est le Dégradant.

[...] Le décor de l'enfer, dans les récits dont je me
souviens, ce n'est pas la mine, la carrière, le camp ;
c'est la démence. La voie principale s'appelait

---

1. Malraux vient de rapporter les supplices infligés au résistant
Jean Moulin, qui ne l'ont pas fait céder.

2. Le cercueil d'enfant dans lequel on a recueilli les cendres de
Jean Moulin.

3. Tous ceux qui sont morts dans les camps.

Cl. Goldner

**Un exemple, parmi des milliers d'autres, de la « solution finale »
mise au point par les nazis.**

la rue de la Liberté ; ainsi s'appelait aussi le chemin que la tondeuse traçait sur le crâne, depuis le front jusqu'à la nuque. Les maisons des Allemands étaient entourées de « coquets jardinets », comme disent les rescapés, et on y voyait jouer des chatons parmi les cris des prisonniers frappés à mort ; comme on voyait des fleurs de couvent au centre des chambrées dont les couchettes grouillaient de poux. Il y avait l'extravagance des coups distribués par les détenus *politiques* allemands à demi fous. Le monde où l'impossible était toujours possible, le cauchemar au sens précis : l'incohérence de laquelle le rêveur était prisonnier, le chaos *organisé* dans un monde où organisé voulait dire subtilisé à l'ennemi : les morceaux de sucre volés pour les mourants étaient « organisés ». La récupération des dents d'or, et des cheveux des tondus ; les départs sans raison (mais les S.S. savaient que la séparation affaiblit les détenus) ; chez les femmes, la voleuse allemande au triangle noir, qui lavait le plancher avec le reste du café pour ne pas le donner aux Françaises ; l'appel aux volontaires pour Bordeaux, que les S.S. confondaient avec le bordel ; la question : « Savez-vous jouer du piano ? » posée aux prisonnières envoyées aux terrassements ; les exsangues qui tiraient à sept ou huit leur rouleau de bas-relief mésopotamien. Chez les femmes et les hommes, le haut-parleur qui diffusait *Schön ist das Leben* (« La vie est belle ») ; les voleurs de lunettes — destinées à qui ? — et les ronds de saucisson bizarrement phosphorescents. Ceux qui pour dormir attachaient les godasses à leur cou par les lacets, et que les voleurs manquaient d'étrangler. Le certificat médical d'aptitude à recevoir des coups. L'échange du pain contre la bonne aventure. Les femmes qui ne pleuraient pas sous les coups les plus douloureux, mais pleuraient quand elles perdaient à la belote clandestine. Les « terreurs » qui, pendant les bombardements, demandaient à celles qu'elles avaient frappées de dire la prière aussi pour elles. Il y avait, noire merveille ! la punition « pour avoir ri dans les rangs ». La schwester [1] dont on menaçait les prisonnières en train d'accoucher, pour les faire taire ; la passion, partagée par les gardiens hilares, des matches de boxe entre prisonniers encore ensanglantés par les coups des S.S. Il y avait le théâtre (*Roméo et Juliette* à Treblinka !), les orchestres de rayés [2] qui jouaient pendant que les excavatrices arrachaient aux fosses des grappes de prisonniers à demi vivants pour les jeter sur le bûcher, haletant comme une gigantesque lampe à souder...

... Le but suprême était que les prisonniers perdissent, à leurs propres yeux, leur qualité d'hommes. D'où la soupe renversée pour que certains des plus affamés la vinssent laper par terre ; d'où les mégots jetés dans le vomissement des chiens, les prisonniers enfermés avec les fous et, plus insidieusement atroces avec leurs corps de pinces et leurs têtes de scalpel, les expériences et les stérilisations. (Avec un attendrissement grinçant, les détenues appelaient les filles destinées aux expériences : les petits lapins). L'idéal était d'amener les résistants à se pendre ou à se jeter sur les barbelés électrifiés. Pourtant, les S.S. se sentaient alors spoliés...

... La S.S. chef du camp passe sur son vélo le long d'une colonne de détenues qui se rendent au travail. Elle descend et va gifler une prisonnière, mal alignée peut-être. Celle-ci, chef de réseau et consciente de ce qu'elle va faire, la gifle à toute volée. Halètement de toute la colonne. Coups de cravache frénétiques des S.S. hommes et femmes. On lâche les chiens sur la prisonnière ; mais son sang coule sur ses pieds, et les chiens, au lieu de

---

1. La sœur « infirmière ».
2. Déportés aux « pyjamas » rayés.

mordre, le lèchent, comme dans les légendes chrétiennes. Moins sentimentaux, les S.S. chassent les chiens et frappent jusqu'à la mort. Sur le visage des détenues au garde-à-vous, les larmes coulent en silence.

(*Antimémoires*, Gallimard éditeur).

Triomphe apparent du mal, la plus monstrueuse organisation d'avilissement qui ait jamais été tentée a été vaincue, en fin de compte, par la résistance et la lutte des hommes libres. Les camps de concentration ont rendu claire l'idée confuse et profonde de l'homme pour laquelle les déportés avaient combattu : « l'homme, c'était ce qu'on voulait leur arracher... la civilisation, c'était la part de l'homme que les camps avaient voulu détruire. »

Jacques Decour

LA MORT DOMINÉE

Le mal irrémédiable, c'est la mort. Voici comment lui a donné un sens, avec la simplicité et la modestie du véritable héroïsme, un homme de notre temps. Le jeune écrivain Jacques Decour[1], professeur d'allemand dans le lycée qui porte aujourd'hui son nom, traducteur de Gœthe, auteur de *Philisterburg*, *Le sage et le caporal*, *Les pères*, avait fondé sous l'occupation nazie, avec Jean Paulhan, *Les lettres françaises* clandestines. Arrêté le 19 février 1942, torturé par la Gestapo, condamné à mort, il fut exécuté le 30 mai en même temps que le physicien Jacques Solomon et le philosophe Georges Politzer. Il avait 32 ans.

1. Pseudonyme de Daniel Decourdemanche.

Samedi 30 mai 1942 — 6 h. 45.

Mes chers Parents,

Vous attendez depuis longtemps une lettre de moi. Vous ne pensiez pas recevoir celle-ci. Moi aussi j'espérais bien ne pas vous faire ce chagrin. Dites-vous bien que je suis resté jusqu'au bout digne de vous, de notre pays que nous aimons.

Voyez-vous, j'aurais très bien pu mourir à la guerre, ou bien même dans le bombardement de cette nuit. Aussi je ne regrette pas d'avoir donné un sens à cette fin. Vous savez bien que je n'ai commis aucun crime, vous n'avez pas à rougir de moi, j'ai su faire mon devoir de Français. Je ne pense pas que ma mort soit une catastrophe ; songez qu'en ce moment des milliers de soldats de tous les pays meurent chaque jour, entraînés dans un grand vent qui m'emporte aussi.

Vous savez que je m'attendais depuis deux mois à ce qui m'arrive ce matin, aussi ai-je eu le temps de m'y préparer, mais comme je n'ai pas de religion je n'ai pas sombré dans la méditation de la mort ; je me considère un peu comme une feuille qui tombe de l'arbre pour faire du terreau.

La qualité du terreau dépendra de celle des feuilles. Je veux parler de la jeunesse française, en qui je mets tout mon espoir.

Mes parents chéris, je serai sans doute à Suresnes, vous pouvez si vous le désirez demander mon transfert à Montmartre.

Il faut me pardonner de vous faire ce chagrin. Mon seul souci depuis trois mois a été votre inquiétude. En ce moment c'est de vous laisser ainsi sans votre fils qui vous a causé plus de peines que de joies. Voyez-vous, il est content tout de même, de la vie qu'il a vécu qui a été bien belle.

Et maintenant voici quelques commissions. J'ai pu mettre un mot à celle que j'aime. Si vous la voyez, *bientôt j'espère, donnez-lui votre affection, c'est mon vœu le plus cher. Je voudrais bien aussi que vous puissiez vous occuper de ses parents qui sont bien en peine. Excusez-moi auprès d'eux de les abandonner ainsi ; je me console en pensant que vous tiendrez à remplacer un peu leur « ange gardien ».*

Donnez-leur des choses qui sont chez moi et appartiennent à leur fille : des volumes de la Pléiade, *les* Fables de La Fontaine, Tristan, *les* Quatre saisons, *les* Petits Poussins, *les deux aquarelles (Vernon et Issoire),* la carte des quatre pavés du Roy.

J'ai beaucoup imaginé, ces derniers temps, les bons repas que nous ferions quand je serais libéré — vous les ferez sans moi, en famille, mais pas tristement, je vous en prie. Je ne veux pas que votre pensée s'arrête aux belles choses qui auraient pu m'arriver mais à toutes celles que nous avons réellement vécues. J'ai refait pendant ces deux mois d'isolement, sans lecture, tous mes voyages, toutes mes expériences, tous mes repas, j'ai même fait un plan de roman. Votre pensée ne m'a pas quitté, et je souhaite que vous ayez, s'il le fallait, beaucoup de patience et de courage, surtout pas de rancœur.

Dites toute mon affection à mes sœurs, à l'infatigable Denise qui s'est tant dévouée pour moi, et à la jolie maman de Michel et de J. Denis.

J'ai fait un excellent repas avec Sylvain le 17, *j'y ai souvent pensé avec plaisir, aussi bien qu'au fameux repas de réveillon chez Pierre et Renée. C'est que les questions alimentaires avaient pris de l'importance. Dites à Sylvain et Pierre toute mon affection et aussi à Jean, mon meilleur camarade, que je le remercie bien de tous les bons moments que j'aurai passés avec lui.*

Si j'étais allé chez lui le soir du 17, *j'aurais fini tout de même par arriver ici, il n'y a donc pas de regret !*

Je vais écrire un mot pour Brigitte à la fin de cette lettre, vous le lui recopierez. Dieu sait si j'ai pensé à elle. Elle n'a pas vu son papa depuis deux ans.

Si vous en avez l'occasion, faites dire à mes élèves de Première, par mon remplaçant, que j'ai bien pensé à la dernière scène d'Egmont[1], et à la lettre de Th. — Ki... à son Père, — sous toute réserve de modestie.

Toutes mes amitiés à mes collègues et à l'ami pour qui j'ai traduit Gœthe sans trahir.

Il est huit heures, il va être temps de partir.

J'ai mangé, fumé, bu du café. Je ne vois plus d'affaire à régler.

Mes parents chéris, je vous embrasse de tout cœur. Je suis tout près de vous et votre pensée ne me quitte pas.

Votre Daniel.

(Éditions de Minuit)

---

1. *Egmont*, tragédie de Gœthe qui évoque la résistance des Pays-Bas à l'oppression espagnole de Philippe II et du duc d'Albe (1567). La dernière scène est très belle. Egmont a vu en rêve la liberté sous les traits de celle qu'il aime. Il meurt, en invoquant une dernière fois la vie, pour défendre la cause humaine, qu'il a toujours servie de son mieux.
Beethoven a composé pour la tragédie de Gœthe une ouverture symphonique justement célèbre.

« **Le fusillé inconnu** »,
Son visage sourit.

« *Si l'écho de leurs voix faiblit, nous périrons.* » (Paul Eluard.)

SUJETS DE RÉFLEXIONS, DE DISSERTATIONS ET DE DISCUSSIONS

Les occasions de réfléchir sur le bien, le mal, les souffrances, les limites et les possibilités de l'homme sont innombrables. On les cherchera, d'abord, dans la vie quotidienne *privée et publique*, dans les nouvelles rapportées chaque jour par la presse, dans l'histoire. Les phrases très diverses qui ont été rassemblées ci-dessous, ainsi que chacun des textes cités dans ce livre, permettront d'aborder le problème sous un grand nombre de points de vue très différents. Il est recommandé, au moins dans un premier stade, d'étudier chacune de ces citations *en elle-même*, sans se laisser influencer en tel ou tel sens par ce qu'on sait ou croit savoir de l'auteur. La réflexion critique en est nettement facilitée. Il sera toujours possible ensuite d'expliquer le passage ou la phrase en tenant compte de la personnalité de l'écrivain et du contexte historique.

Ne te laisse pas vaincre par le mal, mais triomphe du mal par le bien.. SAINT PAUL

Ce qui commence dans le mal s'affermit par le mal. *Macbeth*, SHAKESPEARE

Antisthène disait que la science la plus difficile était de désapprendre le mal.
FÉNELON

Laisser faire le bien et aider à le faire est plus difficile encore que de le faire lui-même.
LACORDAIRE

La volupté unique et suprême de l'amour gît dans la certitude de faire le mal. Et l'homme et la femme savent, de naissance, que dans le mal se trouve toute volupté.
BAUDELAIRE

Le résultat de mes méditations fut que ce monde ne pouvait pas être l'œuvre d'un Dieu absolument bon, mais bien l'œuvre d'un démon qui avait appelé à l'existence des créatures pour se repaître de leurs tourments.

SCHOPENHAUER

[Accuser Dieu du mal] c'est comme si l'on disait que la nature du feu est mauvaise parce que le feu a brûlé la cabane d'un pauvre homme.

SAINT THOMAS D'AQUIN

L'existence d'une création sans Dieu, sans but, me paraît moins absurde que la présence d'un Dieu existant dans sa perfection et créant un homme imparfait afin de lui faire courir les risques d'une punition infernale.

SALACROU

L'angoisse humaine est liée aux événements de l'histoire dans la mesure où ces événements détruisent l'objet même de notre espérance : la bombe atomique dans l'ordre de la recherche scientifique, le régime concentrationnaire dans l'ordre de la révolution sociale, il y a là de quoi, ce me semble, ébranler la foi des hommes qui ont cru passionnément et uniquement au progrès humain.

MAURIAC

Dieu est d'ordinaire pour les gros escadrons contre les petits.

BUSSY-RABUTIN

Je suis parfaitement sûr, dit encore le duc, que ce n'est pas l'objet du libertinage qui nous anime mais l'idée du mal.

SADE

Pourquoi voyons-nous si fréquemment les dévots si durs, si fâcheux, si insociables ? C'est qu'ils se sont imposé une tâche qui ne leur est pas naturelle ; ils souffrent, et quand on souffre on fait souffrir les autres.

DIDEROT

Dans son plus grand effort l'homme ne peut que se proposer de diminuer arithmétiquement la douleur du monde.   CAMUS

Je crois de plus en plus qu'il ne faut pas juger le Bon Dieu sur ce monde-ci, c'est une étude de lui qui est mal venue.   VAN GOGH

Semblable à des mineurs surpris par une explosion, et qui se coucheront découragés sur place s'ils pensent que leur galerie est bouchée en avant, l'homme, plus il est homme, ne saurait continuer plus longtemps à s'ultracérébraliser au gré de l'évolution sans se demander si l'Univers, tout en haut, est ouvert ou fermé, c'est-à-dire sans se poser la question définitive, (*la question de confiance...*) de savoir si, oui ou non, la lueur vers laquelle l'humain dérive... représente bien un accès à l'air libre ou bien si elle correspond seulement à une éclaircie momentanée dans la nuit : auquel cas, je le jure, il ne resterait plus qu'à faire grève de la nature et à nous arrêter.   TEILHARD DE CHARDIN

Faire le mal par ignorance, ce n'est pas toujours le faire involontairement. En effet, il y a des ignorances qui ne sont pas excusables.   ARISTOTE

Dieu a tout fait de rien mais le rien perce.

VALÉRY

Toute œuvre d'opposition est une œuvre négative, et la négation c'est le néant... Celui qui veut exercer une influence utile ne doit jamais rien insulter ; qu'il ne s'inquiète pas de ce qui est absurde et que toute son activité soit consacrée à faire naître des biens nouveaux. Il ne faut pas renverser, il faut bâtir.   GŒTHE

Je désire un instant porter une attention aiguë sur la réalité du suprême bonheur dans le désespoir : quand on est seul, soudain, en face de sa perte soudaine, lorsqu'on assiste à l'irrémédiable destruction de son œuvre et de soi-même.

GENÊT

Dès qu'il n'y a plus de foi pour animer le contenu de l'existence, il ne reste que le vide de la négation. Est-on mécontent de soi, il faut rejeter la faute sur autrui. Si l'on n'est rien, il faut du moins que l'on soit antiquelque chose. On fait endosser le mal à un fantôme qui tirera son nom de notions historiques : la faute incombe au capitalisme, au libéralisme, au marxisme, au christianisme, etc. ; d'autre fois, on prendra pour boucs émissaires des gens qui n'y peuvent rien : tout le mal vient des Juifs, des Allemands et ainsi de suite.

Les causes et les responsabilités du mal sont emmêlées en un tel lacis de rapports inextricables que l'on cherche à les mettre sans plus de critique au compte d'un seul, pourvu que ce ne soit pas au sien. Il ne reste plus qu'à trouver l'expression de ce négativisme et de cette agressivité. Des notions intellectuelles serviront d'enseigne et de drapeau. Les mots sont une fausse monnaie, employés à contresens, tout en gardant la force et la valeur affective de jadis : liberté, patrie, État, peuple, Empire sont des mots de ce genre. Dans une langue ruinée par les abus de la propagande et de ses sophismes, on ne sait finalement plus ce qu'ils signifient. On parle, dans une confusion de concepts mal définis et seulement pour conclure par un non, et pour exhaler un ANTI qui ne correspond à aucun PRO.

JASPERS

Toute vie devient mystère lorsqu'elle est interrogée par la douleur.

MALRAUX

Le premier de tous les empires est de se commander à soi-même. La première des guerres civiles est d'être en division avec soi-même. La première paix est celle qu'on a avec soi-même. Le premier et le plus fâcheux de tous les bannissements, c'est de se chasser soi-même de soi-même.

BOSSUET

Il est vrai que ceux qui préfèrent les contes de fées font la sourde oreille quand on leur parle de la tendance native de l'homme à la « méchanceté », à l'agression, à la destruction, et donc aussi à la cruauté. Dieu n'a-t-il pas fait l'homme à l'image de sa propre perfection ? Et nous n'aimons pas qu'on nous rappelle combien il est difficile de concilier l'indéniable existence du mal avec la toute-puissance et la souveraine bonté divines. Le Diable est encore le meilleur subterfuge pour disculper Dieu ; il remplirait là cette même mission de « soulagement économique » que le monde où règne l'idéal aryen fait remplir au Juif.   Freud

On se rappelle la boutade de ce prédicateur qui, ayant déclaré dans son sermon que la Providence fait bien toutes choses, voit arriver à la sacristie un bossu qui lui demande : « Et moi ? — Vous, mon ami, vous êtes fort bien fait pour un bossu ». La plaisanterie porte plus loin qu'on ne croit.

                                       R.P. Sertillanges

Je ne consens pas à m'abandonner à la tristesse... L'état de joie (que je voudrais toujours maintenir en moi) est celui qui m'est le plus naturel et aussi bien celui où je suis le plus tendu, où je me sens le plus de valeur.   Gide

Le marin qu'une juste observation de la longitude préserve du naufrage doit la vie à des calculs qui furent faits deux mille ans auparavant par des hommes qu'animait une pure curiosité d'esprit.

                                          Condorcet

    ... L'univers n'est qu'un défaut
Dans la pureté du non-être.

                                          Valéry

De même que le feu n'éteint pas le feu, le mal n'éteint pas le mal. Seul le bien faisant face au mal sans subir la contagion triomphe du mal.

                                          Tolstoi

246

Même en politique toute mauvaise action a de mauvaises conséquences. C'est là, je crois, une loi de la nature aussi nette que n'importe quelle loi physique ou chimique.

NEHRU

L'homme est le seul animal qui sache qu'il doit mourir. Triste connaissance, mais nécessaire, puisqu'il a des idées. Il y a donc des malheurs attachés nécessairement à la condition de l'homme.

VOLTAIRE

Une exacte connaissance de la nature humaine effacera toute fatalité, car c'est la connaissance des vraies causes qui donne sincérité et puissance en toute action. C'est par l'effort dirigé que l'homme possède tout ce qu'il possède, et aussi bien lui-même... Le fatalisme, ou comme on voudra l'appeler, est vrai si l'on ne veut pas contre.... Il faut donc vouloir d'abord, et en quelque sorte gratuitement... Mais il arrive que l'intelligence exercée cherche des preuves, et attende d'être assurée de pouvoir vouloir. *Cela est sans remède.* Car, à celui qui ne veut pas vouloir, les preuves arrivent en abondance ; et à qui n'essaie pas de tout son cœur, il est aussitôt évident qu'il ne sert à rien d'essayer... L'attachement au fatalisme est le vrai mal en ce monde.

ALAIN

SUGGESTIONS BIBLIOGRAPHIQUES

Nous avons déjà signalé dans notre premier chapitre, ainsi qu'en tête des chapitres consacrés à chaque siècle, de nombreuses lectures utiles. Mais sur un sujet aussi vaste que le nôtre, qui touche à toutes les grandes questions humaines, bien d'autres livres doivent être indiqués encore à notre avis, — même si le choix demeure nécessairement subjectif, et par là contestable.

Le mal est parmi nous (Coll. Présences, Plon, 1948). Textes de Paul CLAUDEL, Jacques MARITAIN, Henri GOUHIER, Maurice de GANDILLAC, pasteur BOSC, Jean de FABRÈGUES, Pierre DOURNES, Gabriel MARCEL, R.P. BOUYIER.

La variété — et l'unité — sur un certain nombre de formes du mal, des points de vue chrétiens (catholique, protestant, orthodoxe).

Lettres de fusillés (édition France d'abord, 1946).

Ce livre donne, sans commentaires, les dernières lettres, écrites souvent dans l'heure qui précéda leur exécution, d'un certain nombre de patriotes fusillés par les nazis. L'ouvrage est loin d'être complet, il donne seulement des lettres des membres des « Francs-Tireurs et Partisans Français », mais c'est évidemment, sur le mal et la lutte contre le mal, un témoignage de premier ordre.

Lettres de Stalingrad (Corréa, 1957).

Pour connaître le « moral » des combattants de Stalingrad encerclés par les Soviétiques, Hitler fit saisir et étudier par ses services, en janvier 1943, tout leur courrier. Ces lettres ont été retrouvées en 1956 dans un blockhaus et publiées. Leur témoignage, après celui que nous venons de citer, est saisissant non seulement sur les souffrances monstrueuses de la guerre, mais sur la démoralisation extrêmement rapide des hommes lorsqu'ils ne peuvent plus, en quoi que ce soit, justifier pourquoi ils souffrent. Résultat de l'étude psychologique des lettres par les services nazis : « moral élevé », 2,1 % ; « scepticisme total », 51,1 %.

La déportation (ouvrage publié par la Fédération nationale des déportés et internés résistants et patriotes, 1967).

Cinq cent documents photographiques bouleversants et irréfutables ; chronologie de la déportation, organisation des camps, lexique des termes des camps, signes distinctifs des déportés dans les camps, bibliographie. Il faut, au moins une fois dans sa vie, avoir lu ce livre. (Voir les textes de Malraux cités page 228, et les livres indiqués plus loin de Robert Antelme, David Rousset, Olga Wormser et Henri Michel).

Bhagavad Gîtâ (Le chant du bienheureux).

Le grand livre religieux des Indes, essentiel à connaître sur les questions du mal et de la mort.

La Bible. Lire avant tout, dans l'Ancien Testament, *Le livre de Job*, et, dans le Nouveau, les quatre *Évangiles* qui ont peu à peu supplanté tous les autres, et les *Épîtres* de saint Paul.

Le Coran, particulièrement les sourates du tremblement de terre, et de la vache.

ALAIN : *Propos* (Gallimard).

Réflexions et conseils à bâtons rompus, mais fondés toujours sur l'observation et l'expérience, et dont beaucoup concernent les attitudes possibles de l'homme devant ses passions et ses souffrances.

Prosper ALFARIC : *Du manichéisme au platonisme* (Nourry, 1918) ; *De la foi à la raison* (Ed. Rationalistes, 1956).

L'évolution de la pensée de saint Augustin et celle de la pensée de l'auteur vers le rationalisme.

Robert ANTELME : *L'espèce humaine* (Gallimard, 1966).
voir ci-dessus *La déportation.*

Saint AUGUSTIN : *Les confessions, La cité de Dieu, De la grâce et du péché originel.* (Œuvres complètes du grand théologien chrétien, en cours de publication chez Desclée de Brouwer depuis 1936).

Dr J. Boutonnier : *L'angoisse* (Presses Universitaires de France, 2ᵉ éd. 1949).

Étude sur les liaisons entre la conscience et le mal.

R.P. Bouyier : *Le problème du mal dans le christianisme antique*, in « Dieu vivant », nᵒ 6.

Albert Caraco : *Essais sur le mal* (La Baconnière, 1963) Essais de synthèse entre la tradition et la subversion.

Josué de Castro : *Géopolitique de la faim* (les Éditions ouvrières, nouvelle édition, 1970).

Des documents et des chiffres que nous avons tous constamment tendance à oublier. L'une des causes du mal pourtant que les hommes pourraient vaincre avec certitude s'ils le voulaient.

Dr Paul Chauchard : *La douleur* (P.U.F., 1950).

Bonne mise au point, à sa date, de nos connaissances sur la physiologie et la psychologie de la douleur. Le docteur Chauchard est un disciple de Teilhard de Chardin.

Fédor Dostoievsky : *Humiliés et offensés*, *Souvenirs de la maison des morts*, *les frères Karamazov*, *les possédés*, *Mémoire écrit dans un souterrain*.

Les romans les plus beaux et les plus significatifs sur notre sujet.

Albert Einstein : *Conceptions scientifiques, morales et sociales* (Flammarion, 1952).

Un livre à lire avec attention sans doute, mais parfaitement accessible à tous, d'une densité admirable.

Frédéric Engels : *La situation de la classe ouvrière en Angleterre.* (1845).

Sur la misère du prolétariat français à la même époque, on consultera en particulier les enquêtes officielles du Dr Villermet et du Dr Gasset, citées dans l'édition des *Châtiments*, Univers des Lettres Bordas, p. 77.

Vladimir Jankélévitch : *Le mal* (Arthaud, 1947).

Essai pénétrant sur la « méchanceté » et le scandale.

Karl Jaspers : *La bombe atomique et l'avenir de l'homme* (Buchel-Chastel, 1963).

Le problème essentiel auquel nous sommes, désormais, confrontés.

Lucien Jerphagnon : *Le mal et l'existence* (les Éditions ouvrières, 1966).

Réflexions chrétiennes, d'une sincérité attachante, « pour servir à la pratique journalière ».

Konrad Lorenz : *L'agression* (Flammarion, 1969).

« Une histoire naturelle du mal ». La conduite des animaux peut-elle indiquer à l'homme comment éviter le mal de la guerre ?

Lucrèce : *De la nature des choses.*

Le plus beau poème matérialiste de l'antiquité.

Jacques Maritain : *De Bergson à saint Thomas d'Aquin* (Hartmann, 1947).

Dieu et la permission du mal (Desclée, 1963). *Jésus et Israël* (Desclée, 1966). J. Maritain garde vivante et actualise la philosophie thomiste.

R.P. Martelet : *Victoire sur la mort* (Chronique sociale de France, Lyon, 1965).

Essai chrétien sur « l'athéisme marxiste et le phénomène de la mort ».

Frédéric Nietzsche : *Humain, trop humain, Ainsi parlait Zarathoustra, Par-delà le bien et le mal.*

Quelques-uns des livres qui ont exercé, sans doute, la plus forte influence sur notre temps.

Charles Nicolle : *Naissance, vie et mort des maladies infectieuses, Destin des maladies infectieuses*, (Alcan, 1930 et P.U.F., 1939).

La lutte contre les grands fléaux de la peste et du choléra et la signification morale de cette lutte. Camus s'est inspiré de ces livres pour écrire *La Peste.*

Jean Rostand : *Hiroshima* (in « Livres de France », 1963), *Pensées, — Carnets, — Inquiétudes d'un biologiste* (Stock).

Le mal atomique, les périls biologiques, les pouvoirs de l'homme.

David ROUSSET : *L'univers concentrationnaire* (Éd. du Pavois, 1946). Voir plus haut p. 249.

Alfred SAUVY : *Malthus et les deux Marx* (Denoël, 1963). Sous-titre : « Le problème de la faim et de la guerre dans le monde ».

Les plus graves des problèmes actuels exposés dans un style cursif et brillant par un homme toujours soucieux de réalisme et de précision efficaces.

R.P. SERTILLANGES : *Le problème du mal* (Aubier, 1948-1949).

Deux volumes interrompus par la mort de l'auteur, mais cependant assez complets. Tome I : « L'histoire ». Tome II : « La solution » (point de vue catholique).

Alexandre SOLJÉNITSYNE : *Une journée d'Ivan Denissovitch* (Julliard, 1963).

Un grand témoignage sur l'un des camps de déportation soviétiques.

Abbé Paul TOINET et Francis JEANSON : *La foi* (Beauchesne 1969).

Dialogue entre un croyant et un incroyant, où les problèmes du mal, du péché, de la mort, de l'angoisse sont naturellement abordés, en pleine franchise. (Francis Jeanson avait publié en 1963 au Seuil *La foi d'un incroyant*).

Olga WORMSER et Henri MICHEL : *Tragédie de la déportation* 1940-1945, « Témoignages de survivants des camps de concentration allemands » (Hachette, 1964).

LEXIQUE DES AUTEURS CITÉS[1]

Pages

---

1. Les auteurs mentionnés seulement dans les *Suggestions bibliographiques* des pages 248-252 ne figurent pas dans ce lexique.

Le thème du mal

IMPRIMERIE MARCEL BON - 4e TRIMESTRE 1971
N° D'IMPRIMEUR : 1673.